ДЯ́ДЯ ВА́НЯ

UNCLE VANYA

ДЯДЯ ВАНЯ

by

ANTON CHEKHOV

*Edited with an introduction, notes
and a select vocabulary by*

DAVID MAGARSHACK

D. C. HEATH AND COMPANY BOSTON

First published in Great Britain 1962 by
GEORGE G. HARRAP & CO. LTD.

Printed in the United States of America

PRINTED NOVEMBER 1965

D. C. HEATH AND COMPANY
*Boston   Englewood   Chicago   San Francisco
Atlanta   Dallas   London   Toronto*

CONTENTS

INTRODUCTION

Anton Pavlovich Chekhov was born on January 17, 1860 (O.S.), in Taganrog, a port on the Sea of Azov. His father, a freed serf, owned a small grocery shop, but went bankrupt and had to flee with his family to Moscow to escape from his creditors. Chekhov, who was still a student at the Taganrog secondary school, was left behind to fend for himself for the next two years. It was during those years that Chekhov acquired his sense of independence and responsibility which made it possible for him to become the sole provider of his family when he rejoined it in Moscow in 1879. He arrived in Moscow with the intention of studying medicine on a scholarship he had obtained from the Taganrog Town Council. It was during his years as a medical student that he began writing humorous stories for the Petersburg and Moscow popular magazines. His career as a writer of short stories, however, began a year after he had taken his medical degree with his first visit to St Petersburg in December, 1885. There he discovered that his stories had made him famous and he was appalled at the lighthearted way in which he had been writing them. On his return to Moscow, he received a letter from the veteran Russian novelist Dmitry Grigorovich, a close friend of Dostoevsky's, who hailed him as a writer of genius and cautioned him against frittering away his talent on writing trifles. It was this letter that decided Chekhov to take his literary work more seriously and, subsequently, to devote all his time to literature. It was also Grigorovich who introduced Chekhov to the influential newspaper publisher Alexey Suvorin, in whose daily newspaper, *The New Times*, a great number of Chekhov's famous stories were published. Between 1886 and 1890 Chekhov became greatly influenced by the teachings of Leo Tolstoy and it was as a result of his Tolstoyan convictions that he undertook a journey to the convict island of Sakhalin to study the terrible conditions under which the convicts lived. He published his impressions of the journey in 1894 in a book under the title of *Sakhalin Island*. He later undertook several journeys abroad for reasons of health (he had contracted tuberculosis at the age of twenty-three, but was successful in concealing it from his family for fourteen years). During his stay in Nice in 1898 he took a great interest in the Dreyfus affair and his championing of Dreyfus's cause brought him into sharp conflict with Suvorin and eventually led to the breaking up of their long friendship. In 1891 Chekhov acquired a 300-acre estate near Moscow where he lived with his parents and his younger sister Mary, writing his stories and plays and giving free medical treatment to the peasants from the neighbouring villages. He took an active part in combating the widespread famine of 1891, in dealing with a cholera epidemic in his own district, and in helping with the census of 1897. He was also responsible for the building of several village schools. The last period of his life from 1896 to 1904 is notable for his work as an innovator of drama and his close connection with the Moscow Art Theatre, one of whose actresses, Olga Knipper, he married in May, 1901. He was elected honorary member of the Literary Section of the Russian Academy of Science in 1900, but resigned from it soon afterwards because the Russian authorities had annulled the election of Maxim Gorky, whom Chekhov had met and befriended in the Crimean seaside resort of Yalta, where he had settled because of his worsening health. He died at the Black Forest watering place of Badenweiler on July 14, 1904 (N.S.).

It was Chekhov's short stories that first brought him fame in Russia. His first stories appeared under the signature of Antosha Chekhonte, but already in those 'thoughtless and frivolous tales,' as he himself described them, his characteristic quality of burrowing below the surface of life, exposing the hidden motives of his characters and revealing the influence of the environment and of the prevailing social forces upon them, could be easily discerned. His real chance as a

writer came at the end of 1882 when he became the regular
contributor to the popular weekly magazine *Fragments*, published in Petersburg.   He wrote over 300 stories for it, including such masterpieces as *Misery*, *Sergeant Prishibeyev* and
several stories based on his experience as a doctor in a small
country town near Moscow.   He then became a contributor
to the large Petersburg daily *The Petersburg Gazette*, for which
he wrote several stories in which he showed himself to be a
descriptive writer of great originality.   When he finally joined
The New Times a short time afterwards, his genius reached its
full development, for he no longer had to cut down his stories
to a limited number of words, a necessity which irked him
greatly, but which also helped him considerably in perfecting
his technique of compressing a man's lifetime into a few pages
of print.   Between 1886 and 1890 Chekhov published four
volumes of short stories under the respective titles of *Motley
Stories* (1886), *Innocent Speeches* (1887), *In the Twilight* (1887)
and *Stories* (1889).   For his volume *In the Twilight* Chekhov
was awarded the Pushkin Prize, to the value of 500 roubles, by
the Russian Academy of Science.   Between 1891 and 1903
Chekhov only wrote about two dozen short stories, including
The Duel, *Ward No. 6*, *The House with the Attic*, *My Life*, *The
Grasshopper*, *Peasants*, *In the Ravine*, *The Man in a Case*,
Gooseberries, *Ionych* and *The Lady with a Lapdog*, masterpieces
which put him at the very top of the tree of the art of short
story writing.

It is, however, mainly as a playwright that Chekhov became
famous outside Russia.   It is not generally realised that he
had already begun his work as a dramatist during his last years
at school in Taganrog, where he appeared on the stage of the
local theatre in several plays.   In Taganrog, he wrote two
full-length plays and a one-act comedy, none of which has
been preserved.   During his first year at the university in
Moscow he wrote another full-length play of which the
manuscript has survived and which was first published in
1923, nineteen years after his death.   Chekhov tried un-
successfully to have it performed by the Maly Theatre, the

Moscow State Theatre.   It is in four acts, but so inordinately long that its length alone would prevent it from being performed.   A greatly abbreviated version of it was first performed in London in 1960.   The title page of the play is missing and it is known by its hero's name of Platonov.   It represents Chekhov's first attempt to paint a large canvas of the social forces that were moulding Russian life in the last decades of the nineteenth century.   It contains a highly diversified gallery of well realised, if at times rather theatrical, characters, and it shows the clash between the new industrial and financial classes and the decaying class of the landowners, Platonov, the twenty-seven-year-old hero of the play, is a rebel against his environment, an idealist who is aware of the folly, laziness and ineptitude of the people around him, especially of those belonging to his own class of landowning squirearchy, but too weak to do anything about it.   As a result he allows himself to be involved in futile love affairs and is in the end shot dead by one of his mistresses.

Chekhov's first successful play *Ivanov*, which he wrote in 1887, also deals with an idealist who could not live up to his ideals and who shoots himself in sheer desperation at his own weakness and futility.   It shows a great advance on *Platonov*. It is much more compact and its characters are much truer to life, though it is still full of over-dramatised situations.   It was first performed in Moscow on November 4, 1887, and with even greater success in Petersburg on January 31, 1889. Chekhov's next play, *The Wood Demon*, was written in 1899, at the height of his brief period as a Tolstoyan disciple.   It is fundamentally a morality play in which vice is converted to virtue instead of the more conventional ending of virtue triumphing over vice.   It represents Chekhov's first search for a new form of drama.   He himself described it as a 'lyrical play' the main idea of which was 'to show life as it really is.'   In this he did not succeed.   For when produced at a private theatre in Moscow in December, 1899, the play failed to create the illusion of real life on the stage.   It is, in fact, full of improbable coincidences and *deus ex machina* situations. Chekhov refused to include it in his collected works.

During his first period as a dramatist Chekhov also wrote a number of one-act comedies, the most successful of which were *The Bear* and *The Proposal*, as well as 'a dramatic study in one act' under the title of *On the Highway*, which the censor banned officially for being 'too gloomy and sordid,' but actually because it would, in his opinion, tend to degrade the landowning nobleman in the eyes of the spectator, its hero being a nobleman whose unhappy marriage turns him into a drunken tramp.

There is an interval of seven years between Chekhov's first and last periods as playwright. It was during these years that he evolved his new technique of playwriting based chiefly on the Greek drama of indirect action. Just as in the Greek classical plays, the dramatic action in Chekhov's great plays takes place off-stage, the main action of the play being concentrated on the reaction of the characters to the dramatic events of their lives. Chekhov's fame as an innovator of drama rests entirely on this new technique.

Chekhov's first 'indirect-action' play, *The Seagull*, was written in 1896 and was a complete failure when first performed in Petersburg on October 17 of that year. Its failure was due entirely to the inability of its producer to grasp the full implications of Chekhov's new dramatic method. The play was a resounding success when first performed by the Moscow Art Theatre during its opening season on December 17, 1898, but its success was due to the inspired direction of its producer, Konstantin Stanislavsky, rather than to its own intrinsic merits as a work of dramatic art, a point emphasised by Chekhov himself when he saw a private performance of it in the spring of 1899. In *The Seagull* the dramatic action flows logically and naturally out of the interplay of theme and character, both of which have become completely integrated. Its chief theme deals with the question of what makes a creative artist, but, as in the rest of Chekhov's great plays, there are a number of subsidiary themes, which become closely interwoven with the main theme and lead up to the great climax of the play at the end of the third act, and the inevitable resolution of the dramatic conflict in the fourth.

Chekhov completed *Uncle Vanya* at the end of 1896. It is really an adaptation of his earlier unsuccessful *Wood Demon*. What Chekhov did was to take one of the main themes of his earlier play—the conflict between Professor Serebryakov and his brother-in-law Voynitsky—and build an entirely new play round it. Stripped of its Tolstoyan ideology and of its melodramatic and wholly unconvincing situations, the new play was produced by the Moscow Art Theatre on October 26, 1899, and has since proved to be one of the most successful plays in its repertoire as well as in the repertoire of a large number of theatres both in England and the United States. Structurally and psychologically, it is one of the most compact and dramatically expressive of Chekhov's plays. Its main theme, as expressed in Sonia's deeply moving speech with which the play ends, is courage and hope and not at all, as is commonly thought, frustration. Sonia has had her whole life ruined by her father's second wife Helen, for, but for her, Dr. Astrov, with whom she is in love, would have married her. Yet it never occurs to her to blame her stepmother, for she is presented by Chekhov as the personification of spiritual beauty and wisdom, as, indeed, her name—Sophia (from the Greek word for 'wisdom') implies. Helen, as her name, too, quite obviously implies, is the representation of bodily beauty. Like her husband, Professor Serebryakov, Helen is evil because she thinks only of herself, while Sonia is always thinking of others. When her dream of a happy marriage is shattered, all she thinks of is how she can devote herself entirely to a life of service to her fellow-men. In Astrov and Uncle Vanya, Chekhov has drawn two types of idealists: Astrov, the idealist who has his feet firmly planted on the ground and whose personal tragedy merely makes him carry on with his great work of preserving the forests, which are being ruthlessly exterminated in Russia by absentee landowners, and Uncle Vanya, an idealist who has his head in the clouds and who, when he discovers that the ideal to which he had sacrificed his whole life was nothing but 'a soap bubble,' goes to pieces and has to be saved from suicide and total collapse by his young niece. Chekhov always insisted that *Uncle Vanya* was quite 'a new play,' and so it is, for its spirit, though not entirely its action, is completely different from that of *The Wood Demon*. But being an adaptation of an old play, Chekhov was not quite successful in reworking it according to the rules of his new technique and that was why he described it as 'old-fashioned' and sub-titled it as 'Country Scenes in Four Acts.'

After *Uncle Vanya* Chekhov wrote two more plays: *The Three Sisters*, completed in 1901, and *The Cherry Orchard*, completed in 1903. *The Three Sisters* is perhaps Chekhov's most profound dramatic masterpiece and the most perfect example of his 'indirect-action' technique, in which particular preference is given to the part which in the Greek classical drama is played by the chorus. It deals with the inmost and most secret desires of man's soul, with the great problem of the purpose of man's existence and the ultimate values of life. It was first performed by the Moscow Art Theatre on January 31, 1901, and has since become one of the recognised international masterpieces of dramatic art.

Chekhov's last play, *The Cherry Orchard*, was first produced by the Moscow Art Theatre, for which it was written, on Chekhov's last birthday, January 17, 1904. Its main theme— the passing of the old order in Russia—is symbolically represented by the sale of the cherry orchard and its passing into the hands of a former peasant. In the final scene the sound of the axe felling the cherry trees is mingled with the realisation of another peasant, the born serf Firs, that the old order was wrong and that whatever the younger generation may make of the new order—the past is dead. Chekhov called the play a comedy, and indeed in it the brooding intelligence of its creator contemplates man's folly and a world on the brink of dissolution with the quizzical eye of the born humorist.

Almost every character in the play possesses some comic quirk in his make-up. In fact, in no previous play had Chekhov realised so completely the comic aspects of life or treated them with such gentle understanding and sympathy.

D. M.

ДЯДЯ ВАНЯ

Сцены из деревенской жизни в четырёх действиях

ДЕ́ЙСТВУЮЩИЕ ЛИ́ЦА

Серебряко́в, Алекса́ндр Влади́мирович, *отставно́й профе́ссор*

Еле́на Андре́евна, *его жена́, 27-ми лет*

Со́фья Алекса́ндровна (Со́ня), *его дочь от пе́рвого бра́ка*

Войни́цкая, Ма́рия Васи́льевна, *вдова́ та́йного сове́тника, мать пе́рвой жены́ профе́ссора*

Войни́цкий, Ива́н Петро́вич, *её сын*

А́стров, Михаи́л Льво́вич, *врач*

Теле́гин, Илья́ Ильи́ч, *обедне́вший поме́щик*

Мари́на, *ста́рая ня́ня*

Рабо́тник

Де́йствие происхо́дит в уса́дьбе Серебряко́ва.

An asterisk in the text indicates that the word or phrase so marked is dealt with in the Notes at the end of the book.

ДЕ́ЙСТВИЕ ПЕ́РВОЕ

Сад. Видна́ часть до́ма с терра́сой. На алле́е под ста́рым то́полем стол, сервиро́ванный для ча́я. Ска́мьи, сту́лья; на одно́й из скаме́й лежи́т гита́ра. Недалеко́ от стола́ каче́ли. — Тре́тий час дня. Па́смурно.

Мари́на (сыра́я, малоподви́жная стару́шка, сиди́т у самова́ра, вя́жет чуло́к) и Астров (хо́дит во́зле).

Мари́на (*налива́ет стака́н*). Ку́шай, ба́тюшка.*

Астров (*не́хотя принима́ет стака́н*). Что́-то не хо́чется.

Мари́на. Мо́жет, во́дочки вы́пьешь?*

Астров. Нет. Я не ка́ждый день во́дку пью. К тому́ же ду́шно.* (*Па́уза.*) Ня́нька, ско́лько прошло́, как мы знако́мы?

Мари́на (*разду́мывая*). Ско́лько? Дай Бог па́мять . . .* Ты прие́хал сюда́, в э́ти края́ . . . когда́? . . . ещё жива́ была́ Ве́ра Петро́вна, Со́нечкина* мать. Ты при ней к нам две зимы́ е́здил . . . Ну, зна́чит, лет оди́ннадцать прошло́! (*Поду́мав.*) А мо́жет, и бо́льше . . .

Астров. Си́льно я измени́лся с тех пор?

Мари́на. Си́льно. Тогда́ ты молодо́й был, краси́вый, а тепе́рь постаре́л. И красота́ уже́ не та. То́же сказа́ть — и во́дочку пьёшь.

Астров. Да . . . В де́сять лет други́м челове́ком стал. А кака́я причи́на? Зарабо́тался, ня́нька. От утра́ до́ ночи всё на нога́х, поко́ю не зна́ю,* а но́чью лежи́шь под одея́лом и бои́шься, как бы к больно́му не потащи́ли.* За всё вре́мя, пока́ мы с тобо́ю знако́мы, у меня́ ни одного́ дня не́ было свобо́дного. Как не постаре́ть?* Да и сама́ по себе́ жизнь скучна́, глупа́, грязна́. . . Зати́гивает э́та жизнь. Круго́м тебя́ одни́ чудаки́, сплошь одни́ чудаки́; а поживёшь с ни́ми года́

два-три и ма́ло-пома́лу сам, незаме́тно для себя́, стано́-
вишься чудако́м. Неизбе́жная у́часть. (*Закру́чивая свои́*
дли́нные усы́.) Ишь грома́дные усы́ вы́росли... Глу́-
пые усы́. Я стал чудако́м, ня́нька... Поглупе́ть-то я
ещё не поглупе́л,* Бог ми́лостив, мозги́ на своём ме́сте,
но чу́вства как-то притупи́лись. Ничего́ я не хочу́,
ничего́ мне не ну́жно, никого́ я не люблю́... Вот ра́зве
тебя́ то́лько люблю́.* (*Целу́ет её в го́лову.*) У меня́ в
де́тстве, была́ така́я же ня́нька.

Мари́на. Мо́жет, ты ку́шать хо́чешь?

Астров. Нет. В вели́ком посту́* на тре́тьей неде́ле
пое́хал я в Ма́лицкое на эпиде́мию... Сыпно́й тиф...
В и́збах наро́д впова́лку... Грязь, вонь, дым, теля́та
на полу́, с больны́ми вме́сте... Порося́та тут же...
Вози́лся я це́лый день, не присе́л, ма́ковой роси́нки во рту
не́ было,* а прие́хал домо́й, не даю́т отдохну́ть — при-
везли́ с желе́зной доро́ги стре́лочника; положи́л я его́ на
стол, чтобы ему́ опера́цию де́лать, а он возьми́ и умри́* у
меня́ под хлорофо́рмом. И когда́ вот не ну́жно,* чу́вства
просну́лись во мне, и защеми́ло мою́ со́весть, то́чно э́то я
умы́шленно уби́л его́... Сел я, закры́л глаза́ — вот
э́так, и ду́маю: те, кото́рые бу́дут жить через сто-две́сти
лет по́сле нас и для кото́рых мы тепе́рь пробива́ем доро́гу,
помя́нут ли нас до́брым сло́вом? Ня́нька, ведь не
помя́нут!

Мари́на. Лю́ди не помя́нут, зато́ Бог помя́нет.

Астров. Вот спаси́бо. Хорошо́ ты сказа́ла.

(*Вхо́дит Войни́цкий.*)

Войни́цкий (*выхо́дит и́з дому; он вы́спался по́сле*
за́втрака и име́ет помя́тый вид; сади́тся на скамью́, по-
правля́ет свой щего́льской га́лстук). Да... (*Па́уза.*) Да...

Астров. Вы́спался?

Войни́цкий. Да... Очень. (*Зева́ет.*) С тех пор,
как здесь живёт профе́ссор со свое́ю супру́гой, жизнь
вы́билась из коле́й...* Сплю не во́-время, за за́втра-
ком и обе́дом ем ра́зные кабули́,* пью ви́на... нездоро́во

всё э́то! Пре́жде мину́ты свобо́дной не́ было, я и Со́ня
рабо́тали — моё почте́ние,* а тепе́рь рабо́тает одна́ Со́ня,
а я сплю, ем, пью . . . Нехорошо́!

Мари́на (*покача́в голово́й*). Поря́дки!* Профе́ссор
встаёт в двена́дцать часо́в, а самова́р кипи́т с утра́, всё его́
дожида́ется. Без них обе́дали всегда́ в пе́рвом часу́, как
везде́ у люде́й, а при них в седьмо́м. Но́чью профе́ссор
чита́ет и пи́шет, и вдруг часу́ во второ́м звоно́к . . . Что
тако́е, ба́тюшки? Ча́ю! Буди́ для него́ наро́д, ставь
самова́р . . . Поря́дки!

Астров. И до́лго они́ ещё здесь проживу́т?

Войни́цкий (*свисти́т*). Сто лет. Профе́ссор реши́л
посели́ться здесь.

Мари́на. Вот и тепе́рь.* Самова́р уже́ два часа́ на
столе́, а они́ гуля́ть пошли́.

Войни́цкий. Иду́т, иду́т . . . Не волну́йся.

(*Слы́шны голоса́; из глубины́ са́да, возвраща́ясь с прогу́лки,
иду́т Серебряко́в, Еле́на Андре́евна, Со́ня и Телѐгин.*)

Серебряко́в. Прекра́сно, прекра́сно . . . Чуде́сные
ви́ды.

Телѐгин. Замеча́тельные, ва́ше превосходи́тель-
ство.*

Со́ня. Мы за́втра пое́дем в лесни́чество, па́па.
Хо́чешь?

Войни́цкий. Господа́,* чай пить!

Серебряко́в. Друзья́ мои́, пришли́те мне чай в
кабине́т, бу́дьте добры́! Мне сего́дня ну́жно ещё ко́е-что
сде́лать.

Со́ня. А в лесни́честве тебе́ непреме́нно понра́вит-
ся . . .

(*Еле́на Андре́евна, Серебряко́в и Со́ня ухо́дят в дом; Телѐгин
идёт к столу́ и сади́тся во́зле Мари́ны.*)

Войни́цкий. Жа́рко, ду́шно, а наш вели́кий учёный
в пальто́, в кало́шах, с зо́нтиком и в перча́тках.

Астров. Ста́ло быть,* бережёт себя́.

Войницкий. А как она хороша! Как хороша! Во всю свою жизнь не видел женщины красивее.

Телегин. Еду ли я по полю, Марина Тимофеевна, гуляю ли в тенистом саду, смотрю ли на этот стол, я испытываю неизъяснимое блаженство! Погода очаровательная, птички поют, живём мы все в мире и согласии, — чего ещё нам?* (*Принимая стакан.*) Чувствительно вам благодарен!

Войницкий (*мечтательно*). Глаза . . . Чудная женщина!

Астров. Расскажи-ка что-нибудь, Иван Петрович.

Войницкий (*вяло*). Что тебе рассказать?

Астров. Нового нет ли чего?

Войницкий. Ничего. Всё старо. Я тот же, что и был, пожалуй, стал хуже, так как обленился, ничего не делаю и только ворчу, как старый хрен.* Моя старая галка, maman, всё ещё лепечет про женскую эмансипацию; одним глазом смотрит в могилу, а другим ищет в своих умных книжках зарю новой жизни.

Астров. А профессор?

Войницкий. А профессор попрежнему от утра до глубокой ночи сидит у себя в кабинете и пишет. «Напрягши ум, наморщивши чело, всё оды пишем, пишем, и ни себе, ни им похвал нигде не слышим».* Бедная бумага! Он бы лучше свою автобиографию написал. Какой это превосходный сюжет! Отставной профессор, понимаешь ли, старый сухарь, учёная вобла . . . Подагра, ревматизм, мигрень, от ревности и зависти вспухла печёнка . . . Живёт эта вобла в имении своей первой жены, живёт поневоле, потому что жить в городе ему не по карману.* Вечно жалуется на свои несчастья, хотя в сущности сам необыкновенно счастлив. (*Нервно.*) Ты только подумай, какое счастье! Сын простого дьячка, бурсак, добился учёных степеней и кафедры, стал его превосходительством,* зятем сенатора и прочее и прочее. Всё это неважно, впрочем. Но ты возьми вот что.* Человек ровно двадцать пять лет читает и пишет об

искусстве, ровно ничего не понимая в искусстве. Два́д-
цать пять лет он пережёвывает чужи́е мы́сли о реали́зме,
натурали́зме и вся́ком друго́м вздо́ре; два́дцать пять лет
чита́ет и пи́шет о том, что у́мным давно́ уже́ изве́стно, а
для глу́пых неинтере́сно: зна́чит, два́дцать пять лет пере-
лива́ет из пусто́го в поро́жнее.* И в то же вре́мя како́е
самомне́ние! Каки́е прете́нзии! Он вы́шел в отста́вку,
и его́ не зна́ет ни одна́ жива́я душа́, он соверше́нно не-
изве́стен; зна́чит, два́дцать пять лет он занима́л чужо́е
ме́сто. А посмотри́: шага́ет, как полубо́г!

А с т р о в. Ну, ты, ка́жется, зави́дуешь.

В о й н и́ц к и й. Да, зави́дую! А како́й успе́х у же́н-
щин! Ни оди́н Дон Жуа́н не знал тако́го по́лного успе́ха!
Его́ пе́рвая жена́, моя́ сестра́, прекра́сное, кро́ткое со-
зда́ние, чи́стая, как вот э́то голубо́е не́бо, благоро́дная,
великоду́шная, име́вшая покло́нников бо́льше, чем он
ученико́в, — люби́ла его́ так, как мо́гут люби́ть одни́
то́лько чи́стые а́нгелы таки́х же чи́стых и прекра́сных,
как они́ са́ми. Моя́ мать, его́ тёща, до сих пор обожа́ет
его́, и до сих пор он внуша́ет ей свяще́нный у́жас. Его́
втора́я жена́, краса́вица, у́мница — вы её то́лько что ви́-
дели — вы́шла за него́, когда́ уже́ он был стар, отдала́ ему́
мо́лодость, красоту́, свобо́ду, свой блеск. За что? По-
чему́?

А с т р о в. Она́ верна́ профе́ссору?

В о й н и́ц к и й. К сожале́нию,* да.

А с т р о в. Почему́ же к сожале́нию?

В о й н и́ц к и й. Потому́ что э́та ве́рность фальши́ва от
нача́ла до конца́. В ней мно́го рито́рики, но нет ло́гики.
Измени́ть ста́рому му́жу, кото́рого терпе́ть не мо́жешь, —
э́то безнра́вственно; стара́ться же заглуши́ть в себе́ бе́дную
мо́лодость и живо́е чу́вство — э́то не безнра́вственно.

Т е л е́ г и н (пла́чущим го́лосом). Ва́ня, я не люблю́,
когда́ ты э́то говори́шь. Ну, вот, пра́во . . .* Кто
изменя́ет жене́ или му́жу, тот, зна́чит, неве́рный челове́к,
тот мо́жет измени́ть и оте́честву!

В о й н и́ц к и й (с доса́дой). Заткни́ фонта́н,* Ва́фля!

Телéгин. Позвóль, Вáня. Женá моя́ бежáла от меня́ на другóй день пóсле свáдьбы с люби́мым человéком по причи́не моéй непривлекáтельной нарýжности. Пóсле тогó я своегó дóлга не нарушáл. Я до сих пор её люблю́ и вéрен ей, помогáю чем могý и óтдал своё имýщество на воспитáние дéточек, котóрых онá прижилá с люби́мым человéком. Счáстья я лиши́лся, но у меня́ остáлась гóрдость. А онá? Мóлодость ужé прошлá, красотá под влия́нием закóнов прирóды поблёкла, люби́мый человéк скончáлся . . . Что же у неё остáлось?

(*Вхóдят Сóня и Елéна Андрéевна; немнóго погодя́* вхóдит Мáрия Васи́льевна с кни́гой; онá сади́тся и читáет; ей даю́т чáю, и онá пьёт не глядя́.*)

Сóня (*торопли́во, ня́не*). Там, ня́нечка,* мужики́ пришли́. Поди́ поговори́ с ни́ми, а чай я самá . . . (*наливáет чай.*)

(*Ня́ня ухóдит. Елéна Андрéевна берёт свою́ чáшку и пьёт, си́дя на качéлях.*)

Áстров (*Елéне Андрéевне*). Я ведь к вáшему мýжу. Вы писáли, что он óчень бóлен, ревмати́зм и ещё что-то, а окáзывается, он здоровёхонек.

Елéна Андрéевна. Вчерá вéчером он хандри́л, жáловался на бóли в ногáх, а сегóдня ничегó . . .

Áстров. А я́-то сломя́ гóлову* скакáл три́дцать вёрст. Ну, да ничегó, не впервóй.* Затó уж остáнусь у вас до зáвтра и по крáйней мéре вы́сплюсь quantum satis.*

Сóня. И прекрáсно. Это такáя рéдкость, что вы у нас ночýете. Вы небóсь не обéдали?*

Áстров. Нет-с,* не обéдал.

Сóня. Так вот кстáти и пообéдаете. Мы тепéрь обéдаем в седьмóм часý. (*Пьёт.*) Холóдный чай!

Телéгин. В самовáре ужé значи́тельно пони́зилась температýра.

Елéна Андрéевна. Ничегó, Ивáн Ивáныч, мы и холóдный вы́пьем.

Телéгин. Виновáт-с . . .* Не Ивáн Ивáныч, а

Илья Ильи́ч-с . . . Илья́ Ильи́ч Телéгин, и́ли, как нéкоторые зову́т меня́ по причи́не моегó ря́бого лица́, Ва́фля. Я когда́-то крести́л Сóнечку, и егó превосходи́тельство, ваш супру́г, зна́ет меня́ óчень хорошó. Я тепéрь у вас живу́-с, в э́том имéнии-с . . . Éсли изволили замéтить, я ка́ждый день с ва́ми обéдаю.

Сóня. Илья́ Ильи́ч — наш помóщник, пра́вая рука́. (*Нéжно.*) Дава́йте, крéстненький,* я вам ещё налью́.

Мари́я Васи́льевна. Ах!

Сóня. Что с ва́ми, ба́бушка ?

Мари́я Васи́льевна. Забы́ла я сказа́ть Алекса́ндру . . . потеря́ла па́мять . . . сегóдня получи́ла я письмó из Ха́рькова от Па́вла Алексéевича . . . Присла́л свою́ нóвую брошю́ру.

Астров. Интерéсно ?

Мари́я Васи́льевна. Интерéсно, но ка́к-то стра́нно. Опроверга́ет то, что семь лет наза́д сам же защища́л. Это ужа́сно!

Войни́цкий. Ничегó нет ужа́сного. Пéйте, maman, чай.

Мари́я Васи́льевна. Но я хочу́ говори́ть!

Войни́цкий. Но мы ужé пятьдеся́т лет говори́м, и говори́м, и чита́ем брошю́ры. Пора́ бы уж и кóнчить.*

Мари́я Васи́льевна. Тебé почему́-то неприя́тно слу́шать, когда́ я говорю́. Прости́, Жан, но в послéдний год ты так измени́лся, что я тебя́ совершéнно не узна́ю . . . Ты был человéком определённых убеждéний, свéтлою ли́чностью . . .*

Войни́цкий. О да! Я был свéтлою ли́чностью, от котóрой никому́ нé было светлó . . . (*Па́уза.*) Я был свéтлою ли́чностью . . . Нельзя́ состри́ть ядови́тей! Тепéрь мне сóрок семь лет. До прóшлого гóда я так же, как вы, наро́чно стара́лся отума́нивать свои́ глаза́ ва́шею э́тою схола́стикой, чтóбы не ви́деть настоя́щей жи́зни, — и ду́мал, что дéлаю хорошó. А тепéрь, éсли бы вы зна́ли! Я нóчи не сплю с доса́ды, от злóсти, что так глу́по

проворо́нил вре́мя,* когда́ мог бы име́ть всё, в чём
отка́зывает мне тепе́рь моя́ ста́рость!

Со́ня.   Дя́дя Ва́ня, ску́чно!

Ма́рия Васи́льевна (сы́ну).   Ты то́чно обвиня́ешь в
чём-то свои́ пре́жние убежде́ния . . .   Но винова́ты не
они́, а ты сам.   Ты забыва́л, что убежде́ния са́ми по себе́
ничто́, мёртвая бу́ква . . .   Ну́жно бы́ло де́ло де́лать.

Войни́цкий.   Де́ло?   Не вся́кий спосо́бен быть
пи́шущим perpetuum mobile,* как ваш герр профе́ссор.

Ма́рия Васи́льевна.   Что ты хо́чешь э́тим сказа́ть?

Со́ня (умоля́юще).   Ба́бушка!   Дя́дя Ва́ня!   Умоля́ю
вас!

Войни́цкий.   Я молчу́.   Молчу́ и извиня́юсь.

(Па́уза.)

Еле́на Андре́евна.   А хоро́шая сего́дня пого́да . . .
Не жа́рко . . .

(Па́уза.)

Войни́цкий.   В таку́ю пого́ду хорошо́ пове́ситься . . .

(Теле́гин настра́ивает гита́ру.   Мари́на хо́дит о́коло до́ма и
кли́чет кур.)

Мари́на.   Цип, цип, цип . . .

Со́ня.   Ня́нечка, заче́м мужики́ приходи́ли? . . .

Мари́на.   Всё то́ же, опя́ть всё насчёт пу́стоши.
Цип, цип, цип . . .

Со́ня.   Кого́ ты э́то?

Мари́на.   Пестру́шка ушла́ с цыпля́тами . . .   Во-
ро́ны бы не потаска́ли . . .   (Ухо́дит.)

(Теле́гин игра́ет по́льку; все мо́лча слу́шают; вхо́дит ра-
бо́тник.)

Рабо́тник.   Господи́н до́ктор здесь?   (Астрову.)
Пожа́луйте, Михаи́л Льво́вич, за ва́ми прие́хали.

Астров.   Отку́да?

Рабо́тник.   С фа́брики.

Астров (с доса́дой).   Поко́рно благодарю́.*   Что ж,

на́до е́хать . . .   (*Ищет глаза́ми фура́жку.*)   Доса́дно, чёрт подери́ . . .*

Со́ня.   Как э́то неприя́тно, пра́во . . .   С фа́брики приезжа́йте обе́дать.

Астров.   Нет, уж по́здно бу́дет.   Где уж . . .*   Куда́ уж . . .   (*Рабо́тнику.*)   Вот что, притащи́-ка мне,* любе́зный,* рю́мку во́дки в са́мом де́ле.   (*Рабо́тник ухо́дит.*)   Где уж . . . куда́ уж . . .   (*Нашёл фура́жку.*)   У Остро́вского* в како́й-то пье́се есть челове́к с больши́ми уса́ми и ма́лыми спосо́бностями . . .   Так э́то я.   Ну, честь име́ю,* господа́ . . .   (*Еле́не Андре́евне.*)   Если когда́-нибудь загля́нете ко мне, вот вме́сте с Со́фьей Алекса́ндровной, то бу́ду и́скренно рад.   У меня́ небольшо́е име́ньишко, всего́ десяти́н три́дцать, но, е́сли интересу́етесь, образцо́вый сад и пито́мник, како́го не найдёте за ты́сячу вёрст круго́м.   Ря́дом со мно́ю казённое лесни́чество . . .   Лесни́чий там стар, боле́ет всегда́, так что в су́щности я заве́дую все́ми дела́ми.

Еле́на Андре́евна.   Мне уже́ говори́ли, что вы о́чень лю́бите леса́.   Коне́чно, мо́жно принести́ большу́ю по́льзу, но ра́зве э́то не меша́ет ва́шему настоя́щему призва́нию ?   Ведь вы до́ктор.

Астров.   Одному́ Бо́гу изве́стно, в чём на́ше настоя́щее призва́ние.

Еле́на Андре́евна.   И интере́сно ?

Астров.   Да, де́ло интере́сное.

Войни́цкий (*с иро́нией*).   Очень!

Еле́на Андре́евна (*Астрову*).   Вы ещё молодо́й челове́к, вам на вид . . . ну, три́дцать шесть — три́дцать семь лет . . . и, должно́ быть, не так интере́сно, как вы говори́те.   Всё лес и лес.   Я ду́маю, однообра́зно.

Со́ня.   Нет, э́то чрезвыча́йно интере́сно.   Михаи́л Льво́вич ка́ждый год сажа́ет но́вые леса́, и ему́ уже́ присла́ли бро́нзовую меда́ль и дипло́м.   Он хлопо́чет, чтобы не истребля́ли ста́рых.   Если вы вы́слушаете его́, то согласи́тесь с ним вполне́.   Он говори́т, что леса́ украша́ют зе́млю, что они́ у́чат челове́ка понима́ть прекра́сное и внуша́ют ему́ велича́вое настрое́ние. Леса́ смягча́ют суро́вый кли́мат. В стра́нах, где мя́гкий кли́мат, ме́ньше тра́тится сил на борьбу́ с приро́дой, и потому́ там мя́гче и нежне́е челове́к; там лю́ди краси́вы, ги́бки, легко́ возбуди́мы, речь их изя́щна, движе́ния грацио́зны. У них процвета́ют нау́ки и иску́сства, филосо́фия их не мрачна́, отноше́ния к же́нщине по́лны изя́щного благоро́дства . . .

Войни́цкий (смея́сь). Бра́во, бра́во! . . . Всё э́то ми́ло, но не убеди́тельно, так что (Астро́ву) позво́ль мне, мой друг, продолжа́ть топи́ть пе́чи дрова́ми и стро́ить сара́и из де́рева.

Астро́в. Ты мо́жешь топи́ть пе́чи то́рфом, а сара́и стро́ить из ка́мня. Ну, я допуска́ю, руби́ леса́ из нужды́, но заче́м истребля́ть их? Ру́сские леса́ треща́т под топоро́м, ги́бнут миллиа́рды дере́вьев, опустоша́ются жили́ща звере́й и птиц, меле́ют и со́хнут ре́ки, исчеза́ют безвозвра́тно чу́дные пейза́жи, и всё оттого́, что у лени́вого челове́ка не хвата́ет смы́сла нагну́ться и подня́ть с земли́ то́пливо. (Еле́не Андре́евне.) Не пра́вда ли, суда́рыня? На́до быть безрассу́дным ва́рваром, чтобы жечь в свое́й пе́чке э́ту красоту́, разруша́ть то, чего́ мы не мо́жем созда́ть. Челове́к одарён ра́зумом и тво́рческою си́лой, чтобы преумножа́ть то, что ему́ дано́, но до сих пор он не твори́л, а разруша́л. Лесо́в всё ме́ньше и ме́ньше, ре́ки со́хнут, дичь переве́лась, кли́мат испо́рчен, и с ка́ждым днём земля́ стано́вится всё бедне́е и безобра́знее. (Войни́цкому.) Вот ты гляди́шь на меня́ с иро́нией и всё, что я говорю́, тебе́ ка́жется несерьёзным, и . . . и, быть мо́жет, э́то в са́мом де́ле чуда́чество, но когда́ я прохожу́ ми́мо крестья́нских лесо́в, кото́рые я спас от пору́бки, и́ли когда́ я слы́шу, как шуми́т мой молодо́й лес, поса́женный мои́ми рука́ми, я сознаю́, что кли́мат немно́жко и в мое́й вла́сти и что е́сли че́рез ты́сячу лет челове́к бу́дет сча́стлив, то в э́том немно́жко бу́ду винова́т и я. Когда́ я сажа́ю берёзку и пото́м ви́жу, как она́ зелене́ет и кача́ется от ве́тра, душа́ моя́ наполня́ется го́рдостью, и я . . . (Уви́дев рабо́тника, кото́рый принёс на подно́се рю́мку *водки.*) Одна́ко . . . (*пьёт*) мне пора́.* Всё э́то, вероя́тно, чуда́чество в конце́ концо́в.* Честь име́ю кла́няться! (*Идёт к до́му.*)

Со́ня (*берёт его́ под руку и идёт вме́сте*). Когда́ же вы прие́дете к нам?

Астров. Не зна́ю . . .

Со́ня. Опя́ть через ме́сяц? . . .

(*Астров и Со́ня ухо́дят в дом; Мари́я Васи́льевна и Теле́гин остаю́тся во́зле стола́; Еле́на Андре́евна и Войни́цкий иду́т к терра́се.*)

Еле́на Андре́евна. А вы, Ива́н Петро́вич, опя́ть вели́ себя́ невозмо́жно. Ну́жно бы́ло вам раздража́ть Мари́ю Васи́льевну, говори́ть о perpetuum mobile! И сего́дня за за́втраком вы опя́ть спо́рили с Алекса́ндром. Как э́то ме́лко!

Войни́цкий. Но е́сли я его́ ненави́жу!

Еле́на Андре́евна. Ненави́деть Алекса́ндра не́ за что, он тако́й же, как все. Не ху́же вас.

Войни́цкий. Е́сли бы вы могли́ ви́деть своё лицо́, свои́ движе́ния . . . Кака́я вам лень жить!* Ах, кака́я лень!

Еле́на Андре́евна. Ах, и лень и ску́чно! Все браня́т моего́ му́жа, все смо́трят на меня́ с сожале́нием: несча́стная, у неё ста́рый муж! Это уча́стие ко мне — о, как я его́ понима́ю! Вот как сказа́л сейча́с Астров: все вы безрассу́дно гу́бите леса́, и ско́ро на земле́ ничего́ не оста́нется. То́чно так вы безрассу́дно гу́бите челове́ка, и ско́ро благодаря́ вам на земле́ не оста́нется ни ве́рности, ни чистоты́, ни спосо́бности же́ртвовать собо́ю. Почему́ вы не мо́жете ви́деть равноду́шно же́нщину, е́сли она не ва́ша? Потому́ что, — прав э́тот до́ктор, — во всех вас сиди́т бес разруше́ния. Вам не жаль* ни лесо́в, ни птиц, ни же́нщин, ни друг дру́га.

Войни́цкий. Не люблю́ я э́той филосо́фии!

(*Па́уза.*)

Еле́на Андре́евна. У э́того до́ктора утомлённое

не́рвное лицо́.   Интере́сное лицо́.   Со́не, очеви́дно, он
нра́вится, она́ влюблена́ в него́, и я её понима́ю.   При мне
он был здесь уже́ три ра́за, но я засте́нчива и ни ра́зу не
поговори́ла с ним как сле́дует, не обласка́ла его́.   Он по-
ду́мал, что я зла.   Вероя́тно, Ива́н Петро́вич, оттого́ мы
с ва́ми таки́е друзья́, что о́ба мы ну́дные, ску́чные лю́ди!
Ну́дные!   Не смотри́те на меня́ так, я э́того не люблю́.

Войни́цкий.   Могу́ ли я смотре́ть на вас ина́че, е́сли
я люблю́ вас?   Вы моё сча́стье, жизнь, моя́ мо́лодость!
Я зна́ю, ша́нсы мои́ на взаи́мность ничто́жны, равны́
нулю́, но мне ничего́ не ну́жно, позво́льте мне то́лько
гляде́ть на вас, слы́шать ваш го́лос . . .

Еле́на Андре́евна.   Ти́ше, вас мо́гут услы́шать!
(*Иду́т в дом.*)

Войни́цкий (*идя́ за не́ю*).   Позво́льте мне говори́ть о
свое́й любви́, не гони́те меня́ прочь, и э́то одно́ бу́дет для
меня́ велича́йшим сча́стьем . . .

Еле́на Андре́евна.   Э́то мучи́тельно . . .

(*Оба ухо́дят в дом.   Теле́гин бьёт по стру́нам и игра́ет
по́льку; Ма́рия Васи́льевна что́-то запи́сывает на поля́х
брошю́ры.*)

За́навес

ДЕ́ЙСТВИЕ ВТОРО́Е

*Столо́вая в до́ме Серебряко́ва.   Ночь.   Слы́шно, как в саду́
стучи́т сто́рож.*

*Серебряко́в (сиди́т в кре́сле перед откры́тым окно́м и дре́м-
лет) и Еле́на Андре́евна (сиди́т по́дле него́ и то́же дре́млет).*

Серебряко́в (*очну́вшись*). Кто здесь?   Со́ня, ты?

Еле́на Адре́евна.   Это я.

Серебряко́в.   Ты, Ле́ночка...   Невыноси́мая боль!

Еле́на Андре́евна.   У тебя́ плед упа́л на́ пол.
(*Ку́тает ему́ но́ги.*) Я, Алекса́ндр, затворю́ окно́.

Серебряко́в.   Нет, мне ду́шно . . .   Я сейча́с за-
дрема́л, и мне сни́лось,* бу́дто у меня́ ле́вая нога́ чужа́я.
Просну́лся от мучи́тельной бо́ли.   Нет, э́то не пода́гра,
скоре́й ревмати́зм.   Кото́рый тепе́рь час?

(Па́уза.)

Серебряко́в.   Утром поищи́* в библиоте́ке Ба́тюш-
кова.*   Ка́жется, он есть у нас.

Еле́на Андре́евна.   А?

Серебряко́в.   Поищи́ у́тром Ба́тюшкова.   По́мнит-
ся, он был у нас.   Но отчего́ мне так тяжело́ дыша́ть?

Еле́на Андре́евна.   Ты уста́л.   Втору́ю ночь не
спишь.

Серебряко́в.   Говоря́т, у Турге́нева от пода́гры
сде́лалась грудна́я жа́ба.   Бою́сь, как бы у меня́ не́ было.*
Прокля́тая, отврати́тельная ста́рость.   Чёрт бы её по-
бра́л.*   Когда́ я постаре́л, я стал себе́ проти́вен.   Да и
вам всем, должно́ быть, проти́вно на меня́ смотре́ть.

Еле́на Андре́евна.   Ты говори́шь о свое́й ста́рости
таки́м то́ном, как бу́дто все мы винова́ты, что ты стар.

Серебряко́в.   Тебе́ же пе́рвой я проти́вен.

(*Еле́на Андре́евна отхо́дит и сади́тся поо́даль.*)

Коне́чно, ты права́.   Я не глуп и понима́ю.   Ты молода́,

29

здоро́ва, краси́ва, жить хо́чешь, а я стари́к, почти́ труп.
Что ж ?   Ра́зве я не понима́ю ?   И, коне́чно, глу́по, что я
до сих пор жив.   Но погоди́те, ско́ро я освобожу́ вас всех.
Недо́лго мне ещё придётся тяну́ть.*

Еле́на Андре́евна.   Я изнемога́ю . . .   Бо́га ра́ди,
молчи́.

Серебряко́в.   Выхо́дит так, что благодаря́ мне все
изнемогли́, скуча́ют, гу́бят свою́ мо́лодость, оди́н то́лько я
наслажда́юсь жи́знью и дово́лен.   Ну да, коне́чно!

Еле́на Андре́евна.   Замолчи́!   Ты меня́ заму́чил!

Серебряко́в.   Я всех заму́чил.   Коне́чно.

Еле́на Андре́евна (*сквозь слёзы*).   Невыноси́мо!
Скажи́, что ты хо́чешь от меня́ ?

Серебряко́в.   Ничего́.

Еле́на Андре́евна.   Ну, так замолчи́.   Я прошу́.

Серебряко́в.   Стра́нное де́ло, заговори́т Ива́н
Петро́вич и́ли э́та ста́рая идио́тка, Ма́рья Васи́льевна, —
и ничего́,* все слу́шают, но скажи́ я хоть одно́ сло́во, как
все начина́ют чу́вствовать себя́ несча́стными.   Да́же
го́лос мой проти́вен.   Ну, допу́стим, я проти́вен, я
эго́ист, я де́спот, но неуже́ли я да́же в ста́рости не име́ю
не́которого пра́ва на эгои́зм ?   Неуже́ли я не заслужи́л ?
Неуже́ли же, я спра́шиваю, я не име́ю пра́ва на поко́йную
ста́рость, на внима́ние к себе́ люде́й ?

Еле́на Андре́евна.   Никто́ не оспа́ривает у тебя́
твои́х прав.

(*Окно́ хло́пает от ве́тра.*)

Ве́тер подня́лся, я закро́ю окно́. (*Закрыва́ет.*)   Сейча́с
бу́дет дождь.   Никто́ у тебя́ твои́х прав не оспа́ривает.

(*Па́уза; сто́рож в саду́ стучи́т и поёт пе́сню.*)

Серебряко́в.   Всю жизнь рабо́тать для нау́ки, при-
вы́кнуть к своему́ кабине́ту, к аудито́рии, к почте́нным
това́рищам — и вдруг, ни с того́ ни с сего́,* очути́ться в
э́том скле́пе, ка́ждый день ви́деть тут глу́пых люде́й, слу́-
шать ничто́жные разгово́ры . . .   Я хочу́ жить, я люблю́
успе́х, люблю́ изве́стность, шум, а тут — как в ссы́лке.

Кáждую минýту тосковáть о прóшлом, следúть за успé-
хами другúх, боя́ться смéрти . . . Не могý! Нет сил!
А тут ещё не хотя́т простúть мне моéй стáрости!

Елéна Андрéевна. Погодú, имéй терпéние: через
пять-шесть лет и я бýду старá.

(Вхóдит Сóня.)

Сóня. Пáпа, ты сам приказáл послáть за дóктором
Астровым, а когдá он приéхал, ты откáзываешься при-
ня́ть егó. Это неделикáтно. Тóлько напрáсно побес-
покóили человéка . . .

Серебряко́в. На что мне твой Астров?* Он стóль-
ко же понимáет в медицúне, как я в астронóмии.

Сóня. Не выпúсывать же сюдá для твоéй подáгры
цéлый медицúнский факультéт.

Серебряко́в. С э́тим юрóдивым* я и разговáривать
не стáну.

Сóня. Это как угóдно. *(Садúтся.)* Мне всё равнó.

Серебряко́в. Котóрый тепéрь час?

Елéна Андрéевна. Пéрвый.*

Серебряко́в. Дýшно . . . Сóня, дай мне со столá
кáпли!

Сóня. Сейчáс. *(Подаёт кáпли.)*

Серебряко́в *(раздражённо)*. Ах, да не э́ти! Ни о
чём нельзя́ попросúть!

Сóня. Пожáлуйста, не капрúзничай. Мóжет быть,
э́то нéкоторым и нрáвится, но меня́ избáвь, сдéлай
мúлость! Я э́того не люблю́. И мне нéкогда, мне нýжно
зáвтра рáно вставáть, у меня́ сенокóс.

(Вхóдит Войнúцкий в халáте и со свечóй.)

Войнúцкий. На дворé грозá собирáется.

(Мóлния.)

Вóна* как! Hélène и Сóня, идúте спать, я пришёл вас
сменúть.

Серебряко́в *(испýганно)*. Нет, нет! Не оставля́йте
меня́ с ним! Нет. Он меня́ заговорúт!*

Войни́цкий. Но на́до же дать им поко́й! Они́ уже́ другу́ю ночь не спят.

Серебряко́в. Пусть иду́т спать, но и ты уходи́. Благодарю́. Умоля́ю тебя́. Во и́мя на́шей пре́жней дру́жбы, не протесту́й. По́сле поговори́м.

Войни́цкий (*с усме́шкой*). Пре́жней на́шей дру́жбы . . . Пре́жней . . .

Со́ня. Замолчи́, дя́дя Ва́ня.

Серебряко́в (*жене́*). Дорога́я моя́, не оставля́й меня́ с ним! Он меня́ заговори́т.

Войни́цкий. Это стано́вится да́же смешно́.

(*Вхо́дит Мари́на со свечо́й.*)

Со́ня. Ты бы ложи́лась, ня́нечка. Уже́ по́здно.

Мари́на. Самова́р со стола́ не у́бран. Не о́чень-то ля́жешь.*

Серебряко́в. Все не спят, изнемога́ют, оди́н то́лько я блаже́нствую.

Мари́на (*подхо́дит к Серебряко́ву, не́жно*). Что, ба́тюшка? Бо́льно? У меня́ у само́й но́ги гуду́т, так и гуду́т. (*Поправля́ет плед.*) Это у вас да́вняя боле́знь. Ве́ра Петро́вна, поко́йница, Со́нечкина мать, быва́ло, но́чи не спит, убива́ется . . . О́чень уж она́ вас люби́ла . . . (*Па́уза.*) Ста́рые, что́ ма́лые,* хо́чется, чтобы пожале́л кто, а ста́рых-то никому́ не жа́лко. (*Целу́ет Серебряко́ва в плечо́.*) Пойдём, ба́тюшка, в посте́ль . . . Пойдём, све́тик . . .* Я тебя́ ли́повым ча́ем напою́, но́жки твои́ согре́ю . . . Бо́гу за тебя́ помолю́сь . . .

Серебряко́в (*растро́ганный*). Пойдём, Мари́на.

Мари́на. У само́й-то у меня́ но́ги так и гуду́т, так и гуду́т! (*Ведёт его́ вме́сте с Со́ней*). Ве́ра Петро́вна, быва́ло, всё убива́ется, всё пла́чет . . . Ты, Со́нюшка, тогда́ была́ ещё мала́, глупа́ . . . Иди́, иди́, ба́тюшка . . .

(*Серебряко́в, Со́ня и Мари́на ухо́дят.*)

Еле́на Андре́евна. Я заму́чилась с ним. Едва́ на нога́х стою́.

Войни́цкий. Вы с ним, а я с сами́м собо́ю. Вот уже́ тре́тью ночь не сплю.

Еле́на Андре́евна. Неблагополу́чно в э́том до́ме. Ва́ша мать ненави́дит всё, кро́ме свои́х брошю́р и про-фе́ссора; профе́ссор раздражён, мне не ве́рит, вас бои́тся; Со́ня зли́тся на отца́, зли́тся на меня́ и не говори́т со мно́ю вот уже́ две неде́ли; вы ненави́дите му́жа и откры́то презира́ете свою́ мать; я раздражена́ и сего́дня раз два́дцать принима́лась пла́кать . . . Неблагополу́чно в э́том до́ме.

Войни́цкий. Оста́вим филосо́фию!

Еле́на Андре́евна. Вы, Ива́н Петро́вич, образо́ван-ны и у́мны и, ка́жется, должны́ бы понима́ть, что мир погиба́ет не от разбо́йников, не от пожа́ров, а от не́-нависти, вражды́, от всех э́тих ме́лких дрязг . . . Ва́ше бы де́ло не ворча́ть, а мири́ть всех.

Войни́цкий. Снача́ла помири́те меня́ с сами́м со-бо́ю! Дорога́я моя́ . . . (*Припада́ет к её руке́.*)

Еле́на Андре́евна. Оста́вьте! (*Отнима́ет ру́ку.*) Уходи́те!

Войни́цкий. Сейча́с пройдёт дождь, и всё в приро́де освежи́тся и легко́ вздохнёт. Одного́ то́лько меня́ не освежи́т гроза́. Днём и но́чью, то́чно домово́й, ду́шит меня́ мысль, что жизнь моя́ поте́ряна безвозвра́тно. Про́шлого нет, оно́ глу́по израсхо́довано на пустяки́, а настоя́щее ужа́сно по свое́й неле́пости. Вот вам моя́ жизнь и моя́ любо́вь: куда́ мне их дева́ть, что мне с ни́ми де́лать ? Чу́вство моё ги́бнет да́ром, как луч со́лнца, по-па́вший в я́му, и сам я ги́бну.

Еле́на Андре́евна. Когда́ вы мне говори́те о свое́й любви́, я ка́к-то тупе́ю и не зна́ю, что говори́ть. Про-сти́те, я ничего́ не могу́ сказа́ть вам. (*Хо́чет идти́.*) Споко́йной но́чи.

Войни́цкий (*загора́живая ей доро́гу*). И е́сли бы вы зна́ли, как я страда́ю от мы́сли, что ря́дом со мно́ю в э́том же до́ме ги́бнет друга́я жизнь — ва́ша! Чего́ вы ждёте ? Кака́я прокля́тая филосо́фия меша́ет вам ? Пойми́те же, пойми́те . . .

Еле́на Андре́евна (*при́стально смо́трит на него́*). Ива́н Петро́вич, вы пья́ны!

Войни́цкий. Мо́жет быть, мо́жет быть . . .

Еле́на Андре́евна. Где до́ктор?

Войни́цкий. Он там . . . у меня́ ночу́ет. Мо́жет быть, мо́жет быть . . . Всё мо́жет быть!

Еле́на Андре́евна. И сего́дня пи́ли? К чему́ э́то?

Войни́цкий. Всё-таки на жизнь похо́же . . . Не меша́йте мне, Hélène!

Еле́на Андре́евна. Ра́ньше вы никогда́ не пи́ли, и никогда́ вы так мно́го не говори́ли . . . Иди́те спать! Мне с ва́ми ску́чно.

Войни́цкий (*припада́я к её руке́*). Дорога́я моя́ . . . чу́дная!

Еле́на Андре́евна (*с доса́дой*). Оста́вьте меня́. Это, наконе́ц, проти́вно. (*Ухо́дит.*)

Войни́цкий (*оди́н*). Ушла́ . . . (*Па́уза.*) Де́сять лет тому́ наза́д я встреча́л её у поко́йной сестры́. Тогда́ ей бы́ло семна́дцать, а мне три́дцать семь лет. Отчего́ я тогда́ не влюби́лся в неё и не сде́лал ей предложе́ния? Ведь э́то бы́ло так возмо́жно! И была́ бы она́ тепе́рь мое́ю жено́й . . . Да . . . Тепе́рь о́ба мы просну́лись бы от грозы́; она́ испуга́лась бы гро́ма, а я держа́л бы её в свои́х объя́тиях и шепта́л: «Не бо́йся, я здесь». О, чу́дные мы́сли, как хорошо́, я да́же смею́сь . . . но, Бо́же мой, мы́сли пу́таются в голове́ . . . Заче́м я стар? Заче́м она́ меня́ не понима́ет? Её рито́рика, лени́вая мора́ль, вздо́рные, лени́вые мы́сли о поги́бели ми́ра — всё э́то мне глубоко́ ненави́стно. (*Па́уза.*) О, как я обма́нут! Я обожа́л э́того профе́ссора, э́того жа́лкого пода́грика, я рабо́тал на него́ как вол! Я и Со́ня выжима́ли из э́того име́ния после́дние со́ки;* мы, то́чно кулаки́, торгова́ли по́стным ма́слом,* горо́хом, творого́м, са́ми не доеда́ли куска́, что́бы из грошей и копе́ек собира́ть ты́сячи и посыла́ть ему́. Я горди́лся им и его́ нау́кой, я жил, я дыша́л им! Всё, что он писа́л и изрека́л, каза́лось мне гениа́льным . . . Бо́же, а тепе́рь? Вот он в отста́вке, и теперь виден весь итог его жизни: после него не останется ни одной страницы труда, он совершенно неизвестен, он ничто! Мыльный пузырь! И я обманут . . . — вижу, — глупо обманут . . .

(*Входит Астров в сюртуке, без жилета и без галстука; он навеселе;* * *за ним Телегин с гитарой.*)

Астров. Играй!

Телегин. Все спят-с!

Астров. Играй!

(*Телегин тихо наигрывает.*)

(*Войницкому.*) Ты один здесь? Дам нет? (*Подбоченясь, тихо поёт.*) «Ходи хата, ходи печь, хозяину негде лечь . . .»* А меня гроза разбудила. Важный дождик.* Который теперь час?

Войницкий. А чёрт его знает.

Астров. Мне как будто бы послышался голос Елены Андреевны.

Войницкий. Сейчас она была здесь.

Астров. Роскошная женщина. (*Осматривает склянки на столе.*) Лекарства. Каких только тут нет рецептов! И харьковские, и московские, и тульские . . . Всем городам надоел своею подагрой. Он болен или притворяется?

Войницкий. Болен.

(*Пауза.*)

Астров. Что ты сегодня такой печальный? Профессора жаль, что ли?

Войницкий. Оставь меня.

Астров. А то, может быть, в профессоршу влюблён?

Войницкий. Она мой друг.

Астров. Уже?

Войницкий. Что значит это «уже»?

Астров. Женщина может быть другом мужчины лишь в такой последовательности: сначала приятель, потом любовница, а затем уж друг.

Войни́цкий.   Пошля́ческая филосо́фия.

Астров.   Как?   Да . . .   На́да созна́ться — становлю́сь пошляко́м.   Ви́дишь, я и пьян.   Обыкнове́нно я напива́юсь так оди́н раз в ме́сяц.   Когда́ быва́ю в тако́м состоя́нии, то становлю́сь наха́льным и на́глым до кра́йности.   Мне тогда́ всё нипочём!   Я беру́сь за са́мые тру́дные опера́ции и де́лаю их прекра́сно; я рису́ю са́мые широ́кие пла́ны бу́дущего; в э́то вре́мя я уже́ не кажу́сь себе́ чудако́м и ве́рю, что приношу́ челове́честву грома́дную по́льзу . . . грома́дную!   И в э́то вре́мя у меня́ своя́ со́бственная филосо́фская систе́ма, и все вы, бра́тцы, представля́етесь мне таки́ми бука́шками . . . микро́бами.   (*Теле́гину.*)   Ва́фля, игра́й!

Теле́гин.   Дружо́чек, я рад бы для тебя́ все́ю душо́й, но пойми́ же, — в до́ме спят!

Астров.   Игра́й!   (*Теле́гин ти́хо наи́грывает.*)   Вы́пить бы на́до.   Пойдём, там, ка́жется, у нас ещё конья́к оста́лся.   А как рассветёт, ко мне пое́дем.   Идёть?*   У меня́ есть фе́льдшер, кото́рый никогда́ не ска́жет «идёт», а «идёть».   Моше́нник стра́шный.   Так идёть?   (*Уви́дев входя́щую Со́ню.*)   Извини́те, я без га́лстука.   (*Бы́стро ухо́дит; Теле́гин идёт за ним.*)

Со́ня.   А ты, дя́дя Ва́ня, опя́ть напи́лся с до́ктором.   Подружи́лись я́сные со́колы.*   Ну, тот уж всегда́ тако́й, а ты-то с чего́?   В твои́ го́ды э́то совсе́м не к лицу́.*

Войни́цкий.   Го́ды тут ни при чём.*   Когда́ нет настоя́щей жи́зни, то живу́т мира́жами.   Всё-таки лу́чше чем ничего́.

Со́ня.   Се́но у нас всё ско́шено, иду́т ка́ждый день дожди́, всё гниёт, а ты занима́ешься мира́жами.   Ты совсе́м забро́сил хозя́йство . . .   Я рабо́таю одна́, совсе́м из сил вы́билась . . .*   (*Испу́ганно.*)   Дя́дя, у тебя́ на глаза́х слёзы!

Войни́цкий.   Каки́е слёзы?   Ничего́ нет . . . вздор . . .   Ты сейча́с взгляну́ла на меня́, как поко́йная твоя́ мать.   Ми́лая моя́ . . .   (*Жа́дно целу́ет её ру́ки и лицо́.*)

Сестра́ моя́ . . . ми́лая сестра́ моя́ . . . где она́ тепе́рь?
Е́сли бы она́ зна́ла! Ах, е́сли бы она́ зна́ла!

Со́ня. Что? Дя́дя, что зна́ла?

Войни́цкий. Тяжело́, не хорошо́ . . .* Ничего́ . . .
По́сле . . . Ничего́ . . . Я уйду́ . . . (*Ухо́дит.*)

Со́ня (*стучи́т в дверь*). Михаи́л Льво́вич! Вы не
спи́те? На мину́тку!

Астро́в (*за две́рью*). Сейча́с! (*Немно́го погодя́ вхо́дит;
он уже́ в жиле́тке и га́лстуке*). Что прика́жете?*

Со́ня. Са́ми вы пе́йте, е́сли э́то вам не проти́вно, но,
умоля́ю, не дава́йте пить дя́де. Ему́ вре́дно.*

Астро́в. Хорошо́. Мы не бу́дем бо́льше пить.
(*Па́уза.*) Я сейча́с уе́ду к себе́. Решено́ и подпи́сано.*
Пока́ запрягу́т, бу́дет уже́ рассве́т.

Со́ня. Дождь идёт. Погоди́те до утра́.

Астро́в. Гроза́ идёт ми́мо, то́лько кра́ем* захва́тит.
Пое́ду. И, пожа́луйста, бо́льше не приглаша́йте меня́ к
ва́шему отцу́. Я ему́ говорю́ — пода́гра, а он — рев-
мати́зм; я прошу́ лежа́ть, он сиди́т. А сего́дня так и
во́все не стал говори́ть со мно́ю.

Со́ня. Избало́ван. (*И́щет в буфе́те.*) Хоти́те за-
куси́ть?

Астро́в. Пожа́луй, да́йте.

Со́ня. Я люблю́ по ноча́м заку́сывать. В буфе́те,
ка́жется, что-то есть. Он в жи́зни, говоря́т, име́л боль-
шо́й успе́х у же́нщин, и его́ да́мы избалова́ли. Вот
бери́те сыр.

(*Оба стоя́т у буфе́та и едя́т.*)

Астро́в. Я сего́дня ничего́ не ел, то́лько пил. У
ва́шего отца́ тяжёлый хара́ктер.* (*Достаёт из буфе́та
буты́лку.*) Мо́жно?* (*Выпива́ет рю́мку.*) Здесь никого́
нет, и мо́жно говори́ть пря́мо. Зна́ете, мне ка́жется, что
в ва́шем до́ме я не вы́жил бы одного́ ме́сяца, задохну́лся
бы в э́том во́здухе . . . Ваш оте́ц, кото́рый весь ушёл в*
свою́ пода́гру и в кни́ги, дя́дя Ва́ня со свое́ю хандро́й,
ва́ша ба́бушка, наконе́ц ва́ша ма́чеха . . .

Со́ня.   Что ма́чеха ?*

Астров.   В челове́ке должно́ быть всё прекра́сно: и лицо́, и оде́жда, и душа́, и мы́сли.   Она прекра́сна, спо́ра нет,* но . . . ведь она́ то́лько ест, спит, гуля́ет, чару́ет всех нас свое́ю красото́й — и бо́льше ничего́. У неё нет никаки́х обя́занностей, на неё рабо́тают други́е . . .   Ведь так ? А пра́здная жизнь не мо́жет быть чи́стою. (*Па́уза.*) Впро́чем, быть мо́жет, я отношу́сь сли́шком стро́го.   Я не удовлетворён жи́знью, как ваш дя́дя Ва́ня, и о́ба мы стано́вимся брюзга́ми.

Со́ня.   А вы недово́льны жи́знью ?

Астров.   Вообще́ жизнь люблю́, но на́шу жизнь, уе́здную, ру́сскую, обыва́тельскую, терпе́ть не могу́ и презира́ю её все́ми си́лами мое́й души́.   А что каса́ется мое́й, со́бственной, ли́чной жи́зни, то, ей-Бо́гу, в ней нет реши́тельно ничего́ хоро́шего.   Зна́ете, когда́ идёшь тёмною но́чью по́ лесу, и е́сли в э́то вре́мя вдали́ све́тит огонёк, то не замеча́ешь ни утомле́ния, ни потёмок, ни колю́чих ве́ток, кото́рые бьют тебя́ по лицу́ . . . Я рабо́таю, — вам э́то изве́стно, — как никто́ в уе́зде, судьба́ бьёт меня́, не перестава́я,* поро́й страда́ю я невыноси́мо, но у меня́ вдали́ нет огонька́.   Я для себя́ уже́ ничего́ не жду, не люблю́ люде́й . . .   Давно́ уже́ никого́ не люблю́.

Со́ня.   Никого́ ?

Астров.   Никого́.   Не́которую не́жность я чу́в-ствую то́лько к ва́шей ня́ньке — по ста́рой па́мяти.* Мужики́ однообра́зны о́чень, нера́звиты, гря́зно живу́т, а с интеллиге́нцией тру́дно ла́дить.   Она утомля́ет.   Все они́, на́ши до́брые знако́мые, ме́лко мы́слят, ме́лко чу́вствуют и не ви́дят да́льше своего́ но́са — про́сто-на́-про́сто* глу́пы.   А те, кото́рые поумне́е и покрупне́е,* истери́чны, зае́дены ана́лизом, рефле́ксом . . . Э́ти но́ют, ненави́стничают, боле́зненно клеве́щут, подхо́дят к челове́ку бо́ком, смо́трят на него́ и́скоса и реша́ют: «О, э́то психопа́т!» и́ли: «Э́то фразёр!» А когда́ не зна́ют, како́й ярлы́к прилепи́ть к моему́ лбу, то говоря́т: «Э́то стра́нный челове́к, стра́нный!» Я люблю́ лес — э́то стра́нно; я не ем мя́са — э́то то́же стра́нно. Непосре́дственного, чи́стого, свобо́дного отноше́ния к приро́де и к лю́дям уже́ нет . . . Нет и нет! (*Хо́чет вы́пить.*)

Со́ня (*меша́ет ему́*). Нет, прошу́ вас, умоля́ю, не пе́йте бо́льше.

А́стров. Отчего́?

Со́ня. Это так не идёт к вам!* Вы изя́щны, у вас тако́й не́жный го́лос . . . Да́же бо́льше, вы, как никто́ из всех, кого́ я зна́ю, — вы прекра́сны. Заче́м же вы хоти́те походи́ть на* обыкнове́нных люде́й, кото́рые пьют и игра́ют в ка́рты? О, не де́лайте э́того, умоля́ю вас! Вы говори́те всегда́, что лю́ди не творя́т, а то́лько разруша́ют то, что им дано́ свы́ше. Заче́м же, заче́м вы разруша́ете самого́ себя́? Не на́до, не на́до,* умоля́ю, заклина́ю вас.

А́стров. (*протя́гивает ей ру́ку*). Не бу́ду бо́льше пить.

Со́ня. Да́йте мне сло́во.

А́стров. Че́стное сло́во.

Со́ня (*кре́пко пожима́ет ру́ку*). Благодарю́!

А́стров. Ба́ста! Я отрезве́л. Ви́дите, я уже́ совсе́м трезв и таки́м оста́нусь до конца́ дней мои́х. (*Смо́трит на часы́.*) Ита́к, бу́дем продолжа́ть. Я говорю́: моё вре́мя уже́ ушло́, по́здно мне . . . Постаре́л, зарабо́тался, испо́шлился, притупи́лись все чу́вства, и, ка́жется, я уже́ не мог бы привяза́ться к челове́ку. Я никого́ не люблю́ и . . . уже́ не полюблю́. Что меня́ ещё захва́тывает, так э́то красота́. Неравноду́шен я к ней. Мне ка́жется, что е́сли бы вот Еле́на Андре́евна захоте́ла, то могла́ бы вскружи́ть мне го́лову в оди́н день . . . Но ведь э́то не любо́вь, не привя́занность . . . (*Закрыва́ет руко́й глаза́ и вздра́гивает.*)

Со́ня. Что с ва́ми?

А́стров. Так . . .* В вели́ком посту́ у меня́ больно́й у́мер под хлорофо́рмом.

Со́ня. Об э́том пора́ забы́ть. (*Па́уза.*) Скажи́те мне, Михаи́л Льво́вич . . . Е́сли бы у меня́ была́ подру́га и́ли мла́дшая сестра́, и е́сли бы вы узна́ли, что она́

. . . ну, положим, любит вас, то как бы вы отнеслись к
этому?

Астров (пожав плечами).* Не знаю. Должно быть,
никак. Я дал бы ей понять, что полюбить её не могу . . .
да и не тем моя голова занята. Как ни как,* а если ехать,
то уже пора. Прощайте, голубушка, а то мы так до утра
не кончим. (Пожимает руку.) Я пройду через гости-
ную, если позволите, а то боюсь, как бы ваш дядя меня не
задержал. (Уходит.)

Соня (одна). Он ничего не сказал мне . . . Душа и
сердце его всё ещё скрыты от меня, но отчего же я
чувствую себя такою счастливою? (Смеётся от сча-
стья.) Я ему сказала: вы изящны, благородны, у вас
такой нежный голос . . . Разве это вышло некстати?
Голос его дрожит, ласкает . . . вот я чувствую его в воз-
духе. А когда я сказала ему про младшую сестру, он не
понял . . . (Ломая руки.) О, как это ужасно, что я
некрасива! Как ужасно! А я знаю, что я некрасива,
знаю, знаю . . . В прошлое воскресенье, когда выходили
из церкви, я слышала, как говорили про меня, и одна
женщина сказала: «Она добрая, великодушная, но жаль,
что она так некрасива . . .» Некрасива . . .

(Входит Елена Андреевна.)

Елена Андреевна (открывает окна). Прошла гроза.
Какой хороший воздух! (Пауза.) Где доктор?

Соня. Ушёл.

(Пауза.)

Елена Андреевна. Софи!*

Соня. Что?

Елена Андреевна. До каких пор вы будете дуться
на меня?* Друг другу мы не сделали никакого зла.
Зачем же нам быть врагами? Полноте . . .*

Соня. Я сама хотела . . . (Обнимает её.) Довольно
сердиться.

Елена Андреевна. И отлично.

(*Обе взволнованы.*)

Соня.   Папа лёг?

Елена Андреевна.   Нет, сидит в гостиной . . .   Не говорим мы друг с другом по целым неделям и Бог знает из-за чего . . .   (*Увидев, что буфет открыт.*)   Что это?

Соня.   Михаил Львович ужинал.

Елена Андреевна.   И вино есть . . .   Давайте выпьем брудершафт.*

Соня.   Давайте.

Елена Андреевна.   Из одной рюмочки . . .   (*Наливает.*)   Этак лучше.   Ну, значит — ты?

Соня.   Ты.   (*Пьют и целуются.*)   Я давно уже хотела мириться, да всё как-то совестно было . . .*   (*Плачет.*)

Елена Андреевна.   Что же ты плачешь?

Соня.   Ничего, это я так.*

Елена Андреевна.   Ну, будет, будет . . .*   (*Плачет.*) Чудачка, и я заплакала . . .   (*Пауза.*)   Ты на меня сердита за то, что я будто вышла за твоего отца по расчёту . . .*   Если веришь клятвам, то клянусь тебе, — я выходила за него по любви.   Я увлеклась им, как учёным и известным человеком.   Любовь была не настоящая, искусственная, но ведь мне казалось тогда, что она настоящая.   Я не виновата.   А ты с самой нашей свадьбы не переставала казнить меня своими умными подозрительными глазами.

Соня.   Ну, мир, мир!   Забудем.

Елена Андреевна.   Не надо смотреть так — тебе это не идёт.   Надо всем верить, иначе жить нельзя.

(*Пауза.*)

Соня.   Скажи мне по совести,* как друг . . .   Ты счастлива?

Елена Андреевна.   Нет.

Соня.   Я это знала.   Ещё один вопрос.   Скажи откровенно, — ты хотела бы, чтобы у тебя был молодой муж?

Еле́на Андре́евна. Кака́я ты ещё де́вочка. Коне́чно, хоте́ла бы. (*Смеётся.*) Ну, спроси́ ещё что́-нибудь, спроси́ . . .

Со́ня. Тебе́ до́ктор нра́вится?

Еле́на Андре́евна. Да, о́чень.

Со́ня (*смеётся*). У меня́ глу́пое лицо́ . . . да? Вот он ушёл, а я всё слы́шу его́ го́лос и шаги́, а посмотрю́ на тёмное окно́, — там мне представля́ется его́ лицо́. Дай мне вы́сказаться . . . Но я не могу́ говори́ть так гро́мко, мне сты́дно. Пойдём ко мне в ко́мнату, там поговори́м. Я тебе́ кажу́сь глу́пою? Созна́йся . . . Скажи́ мне про него́ что́-нибудь . . .

Еле́на Андре́евна. Что же?

Со́ня. Он у́мный . . . Он всё уме́ет, всё мо́жет . . . Он и ле́чит, и сажа́ет лес . . .

Еле́на Андре́евна. Не в ле́се и не в медици́не де́ло . . . Ми́лая моя́, пойми́, э́то тала́нт! А ты зна́ешь, что зна́чит тала́нт? Сме́лость, свобо́дная голова́, широ́кий разма́х . . .* Поса́дит деревцо́ и уже́ зага́дывает, что бу́дет от э́того через ты́сячу лет, уже́ мере́щится ему́ сча́стье челове́чества. Таки́е лю́ди ре́дки, их ну́жно люби́ть . . . Он пьёт, быва́ет грубова́т, — но что за беда́? Тала́нтливый челове́к в Росси́и не мо́жет быть чи́стеньким. Сама́ поду́май, что за жизнь у э́того до́ктора! Непрола́зная грязь на доро́гах, моро́зы, мете́ли, расстоя́ния грома́дные, наро́д гру́бый, ди́кий, круго́м нужда́, боле́зни, а при тако́й обстано́вке тому́, кто рабо́тает и бо́рется изо дня в день, тру́дно сохрани́ть себя́ к сорока́ года́м чи́стеньким и тре́звым . . . (*Целу́ет её.*) Я от души́ тебе́ жела́ю, ты сто́ишь сча́стья . . . (*Встаёт.*) А я ну́дная, эпизоди́ческое лицо́ . . . И в му́зыке, и в до́ме му́жа, во всех рома́нах — везде́, одни́м сло́вом, я была́ то́лько эпизоди́ческим лицо́м. Со́бственно говоря́,* Со́ня, е́сли вду́маться, то я о́чень, о́чень несча́стна! (*Хо́дит в волне́нии по сце́не.*) Нет мне сча́стья на э́том све́те. Нет! Что ты смеёшься?

Со́ня (*смеётся, закры́в лицо́*). Я так сча́стлива . . . сча́стлива!

Еле́на Андре́евна. Мне хо́чется игра́ть . . . Я сыгра́ла бы тепе́рь что́-нибудь.

Со́ня. Сыгра́й. (*Обнима́ет её.*) Я не могу́ спать . . . Сыгра́й!

Еле́на Андре́евна. Сейча́с. Твой оте́ц не спит. Когда́ он бо́лен, его́ раздража́ет му́зыка. Поди́ спроси́. Если он ничего́,* то сыгра́ю. Поди́.

Со́ня. Сейча́с. (*Ухо́дит.*)

(*В саду́ стучи́т сто́рож.*)

Еле́на Андре́евна. Давно́ уже́ я не игра́ла. Бу́ду игра́ть и пла́кать, пла́кать, как ду́ра. (*В окно́.*) Это ты стучи́шь, Ефим?

Го́лос сто́рожа: Я!

Еле́на Андре́евна. Не стучи́, ба́рин нездоро́в.

Го́лос сто́рожа. Сейча́с уйду́! (*Подсви́стывает.*) Эй, вы, Жу́чка, Ма́льчик! Жу́чка!

(*Па́уза.*)

Со́ня (*верну́вшись*). Нельзя́!

Занавес

ДЕ́ЙСТВИЕ ТРЕ́ТЬЕ

Гости́ная в до́ме Серебряко́ва. Три две́ри: напра́во, нале́во и посреди́не. — День.

Войни́цкий, Со́ня (сидя́т) и Еле́на Андре́евна (хо́дит по сце́не, о чём-то ду́мая).

Войни́цкий. Герр профе́ссор изво́лил вы́разить жела́ние, чтобы сего́дня все мы собрали́сь вот в э́той гости́ной к ча́су дня. (*Смо́трит на часы́.*) Без че́тверти час. Хо́чет о чём-то пове́дать ми́ру.

Еле́на Андре́евна. Вероя́тно, како́е-нибудь де́ло.

Войни́цкий. Никаки́х у него́ нет дел. Пи́шет чепуху́, брюзжи́т и ревну́ет, бо́льше ничего́.

Со́ня (*то́ном упрёка*). Дя́дя!

Войни́цкий. Ну, ну, винова́т. (*Ука́зывает на Еле́ну Андре́евну.*) Полюбу́йтесь:* хо́дит и от ле́ни шата́ется. Очень ми́ло! Очень!

Еле́на Андре́евна. Вы це́лый день жужжи́те, всё жужжи́те — как не надое́ст! (*С тоско́й.*) Я умира́ю от ску́ки, не зна́ю, что мне де́лать.

Со́ня (*пожима́я плеча́ми*). Ма́ло ли де́ла? То́лько бы захоте́ла.

Еле́на Андре́евна. Наприме́р?

Со́ня. Хозя́йством занима́йся, учи́, лечи́. Ма́ло ли? Вот когда́ тебя́ и па́пы здесь не́ было, мы с дя́дей Ва́ней са́ми е́здили на база́р муко́й торгова́ть.

Еле́на Андре́евна. Не уме́ю. Да и неинтере́сно. Это то́лько в иде́йных рома́нах* у́чат и ле́чат мужико́в, а как я, ни с того́ ни с сего́,* возьму́ вдруг и пойду́ их лечи́ть или учи́ть?

Со́ня. А вот я так не понима́ю. Как это не идти́ и не учи́ть. Погоди́, и ты привы́кнешь. (*Обнима́ет её.*) Не скуча́й, родна́я. (*Смея́сь.*) Ты скуча́ешь, не нахо́дишь себе́ ме́ста,* а ску́ка и пра́здность заразительны. Смотри́:

дя́дя Ва́ня ничего́ не де́лает и то́лько хо́дит за тобо́ю, как тень, я оста́вила свои́ дела́ и прибежа́ла к тебе́, что́бы поговори́ть. Облени́лась, не могу́! До́ктор Михаи́л Льво́вич пре́жде быва́л у нас о́чень ре́дко, раз в ме́сяц, упроси́ть его́ бы́ло тру́дно, а тепе́рь он е́здит сюда́ ка́ждый день, бро́сил и свои́ леса́ и медици́ну. Ты колду́нья, должно́ быть.

Войни́цкий. Что томи́тесь? (*Жи́во.*) Ну, дорога́я моя́, ро́скошь, бу́дьте у́мницей! В ва́ших жи́лах течёт руса́лочья кровь, бу́дьте же руса́лкой! Да́йте себе́ во́лю хоть раз в жи́зни, влюби́тесь поскоре́е в како́го-нибудь водяно́го по са́мые у́ши* — и булты́х* с голово́й в о́мут, что́бы герр профе́ссор и все мы то́лько рука́ми развели́!*

Еле́на Андре́евна (*с гне́вом*). Оста́вьте меня́ в поко́е! Как э́то жесто́ко! (*Хо́чет уйти́.*)

Войни́цкий (*не пуска́ет её*). Ну, ну, моя́ ра́дость, прости́те... Извиня́юсь. (*Целу́ет ру́ку.*) Мир.

Еле́на Андре́евна. У а́нгела не хвати́ло бы терпе́ния, согласи́тесь.

Войни́цкий. В знак ми́ра и согла́сия я принесу́ сейча́с буке́т роз; ещё у́тром для вас пригото́вил... Осе́нние ро́зы — преле́стные, гру́стные ро́зы... (*Ухо́дит.*)

Со́ня. Осе́нние ро́зы — преле́стные, гру́стные ро́зы...

(*Обе смо́трят в окно́.*)

Еле́на Андре́евна. Вот уже́ и сентя́брь. Ка́к-то мы проживём здесь зи́му! (*Па́уза.*) Где до́ктор?

Со́ня. В ко́мнате у дя́ди Ва́ни. Что́-то пи́шет. Я ра́да, что дя́дя Ва́ня ушёл, мне ну́жно поговори́ть с тобо́ю.

Еле́на Андре́евна. О чём?

Со́ня. О чём. (*Кладёт ей го́лову на грудь.*)

Еле́на Андре́евна. Ну, по́лно, по́лно... (*Пригла́живает ей во́лосы.*) По́лно.

Со́ня. Я некраси́ва.

Еле́на Андре́евна. У тебя́ прекра́сные во́лосы.

Со́ня. Нет! (*Огля́дывается, что́бы взгляну́ть на себя́
в зе́ркало.*) Нет! Когда́ же́нщина некраси́ва, то ей
говоря́т: «У вас прекра́сные глаза́, у вас прекра́сные
во́лосы» . . . Я его́ люблю́ уже́ шесть лет, люблю́ бо́льше,
чем свою́ мать; я ка́ждую мину́ту слы́шу его́, чу́вствую
пожа́тие его́ руки́; и я смотрю́ на дверь, жду, мне всё
ка́жется, что он сейча́с войдёт. И вот, ты ви́дишь, я всё
прихожу́ к тебе́, что́бы поговори́ть о нём. Тепе́рь он
быва́ет здесь ка́ждый день, но не смо́трит на меня́, не
ви́дит . . . Это тако́е страда́ние! У меня́ нет никако́й
наде́жды, нет, нет! (*В отча́янии.*) О Бо́же, пошли́ мне
си́лы . . .* Я всю ночь моли́лась . . . Я ча́сто подхожу́
к нему́, сама́ загова́риваю с ним, смотрю́ ему́ в глаза́ . . .
У меня́ уже́ нет го́рдости, нет сил владе́ть собо́ю . . . Не
удержа́лась и вчера́ призна́лась дя́де Ва́не, что люблю́ . . .
И вся прислу́га зна́ет, что я его́ люблю́. Все зна́ют.

Еле́на Андре́евна. А он?

Со́ня. Нет. Он меня́ не замеча́ет.

Еле́на Андре́евна (*в разду́мье*). Стра́нный он челове́к . . . Зна́ешь что? Позво́ль, я поговорю́ с ним . . .
Я осторо́жно, намёками . . . (*Па́уза.*) Пра́во, до каки́х
же пор быть в неизве́стности . . . Позво́ль! (*Со́ня утверди́тельно кива́ет голово́й.*) И прекра́сно. Лю́бит или не
лю́бит — это не тру́дно узна́ть. Ты не смуща́йся, голу́бка,
не беспоко́йся, — я допрошу́ его́ осторо́жно, он и не
заме́тит. Нам то́лько узна́ть: да и́ли нет? (*Па́уза.*) Если
нет, то пусть не быва́ет здесь. Так? (*Со́ня утверди́тельно
кива́ет голово́й.*) Ле́гче, когда́ не ви́дишь. Откла́дывать
в до́лгий я́щик* не бу́дем, допро́сим его́ тепе́рь же. Он
собира́лся показа́ть мне каки́е-то чертежи́ . . . Поди́
скажи́, что я жела́ю его́ ви́деть.

Со́ня (*в си́льном волне́нии*). Ты мне ска́жешь всю
пра́вду?

Еле́на Андре́евна. Да коне́чно. Мне ка́жется,
что пра́вда, кака́я бы она́ ни была́, всё-таки не так
страшна́, как неизве́стность. Положи́сь на меня́,
голу́бка.

Со́ня. Да ... да ... Я скажу́, что ты хо́чешь ви́деть его́ чертежи́ ... (*Идёт и остана́вливается во́зле две́ри.*) Нет, неизве́стность лу́чше ... Всё-таки наде́жда ...

Еле́на Андре́евна. Что ты?*

Со́ня. Ничего́. (*Ухо́дит.*)

Еле́на Андре́евна (*одна́*). Нет ничего́ ху́же, когда́ зна́ешь чужу́ю та́йну и не мо́жешь помо́чь. (*Разду́мывая.*) Он не влюблён в неё — э́то я́сно, но отчего́ бы ему́ не жени́ться на ней? Она́ некраси́ва, но для дереве́нского до́ктора, в его́ го́ды, э́то была́ бы прекра́сная жена́. Умница, така́я до́брая, чи́стая ... Нет, э́то не то, не то ... (*Па́уза.*) Я понима́ю э́ту бе́дную де́вочку. Среди́ отча́янной ску́ки, когда́ вме́сто люде́й круго́м бро́дят каки́е-то се́рые пя́тна, слы́шатся одни́ по́шлости, когда́ то́лько и зна́ют, что едя́т, пьют, спят, иногда́ приезжа́ет он, непохо́жий на други́х, краси́вый, интере́сный, увлека́тельный, то́чно среди́ потёмок восхо́дит ме́сяц я́сный ... Подда́ться обая́нию тако́го челове́ка, забы́ться ... Ка́жется, я сама́ увлекла́сь немно́жко.* Да, мне без него́ ску́чно, я вот улыба́юсь, когда́ ду́маю о нём ... Э́тот дя́дя Ва́ня говори́т, бу́дто в мои́х жи́лах течёт руса́лочья кровь. «Да́йте себе́ во́лю хоть раз в жи́зни» ... Что ж? Мо́жет быть, так и ну́жно ... Улете́ть бы* во́льною пти́цей от всех вас, от ва́ших со́нных физионо́мий, от разгово́ров, забы́ть, что все вы существу́ете на све́те ... Но я трусли́ва, засте́нчива ... Меня́ заму́чит со́весть ... Вот он быва́ет здесь ка́ждый день, я уга́дываю, заче́м он здесь, и уже́ чу́вствую себя́ винова́тою, гото́ва пасть перед Со́ней на коле́ни, извиня́ться, пла́кать ...

А́стров (*вхо́дит с картогра́ммой*). До́брый день! (*Пожима́ет ру́ку.*) Вы хоте́ли ви́деть мою́ жи́вопись?

Еле́на Андре́евна. Вчера́ вы обеща́ли показа́ть мне свои́ рабо́ты ... Вы свобо́дны?

А́стров. О, коне́чно. (*Растя́гивает на ло́мберном столе́ картогра́мму и укрепля́ет её кно́пками.*) Вы где роди́лись?

Еле́на Андре́евна (*помога́я ему́*). В Петербу́рге.

Астров. А получи́ли образова́ние?

Еле́на Андре́евна. В консервато́рии.

Астров. Для вас, пожа́луй, это неинтере́сно.

Еле́на Андре́евна. Почему́? Я, пра́вда, дере́вни не зна́ю,* но я мно́го чита́ла.

Астров. Здесь в до́ме есть мой со́бственный стол... В ко́мнате у Ива́на Петро́вича. Когда́ я утомлю́сь соверше́нно, до по́лного отупе́ния, то всё броса́ю и бегу́ сюда́, и вот забавля́юсь э́той шту́кой час-друго́й...* Ива́н Петро́вич и Со́фья Алекса́ндровна ще́лкают на счётах,* а я сижу́ по́дле них за свои́м столо́м и ма́жу, и мне тепло́, поко́йно, и сверчо́к кричи́т. Но э́то удово́льствие я позволя́ю себе́ не ча́сто, раз в ме́сяц... (*Пока́зывая на картогра́мме.*) Тепе́рь смотри́те сюда́. Карти́на на́шего уе́зда, каки́м он был пятьдеся́т лет наза́д. Тёмно- и све́тлозелёная кра́ска означа́ет леса́; полови́на всей пло́щади занята́ ле́сом. Где по зе́лени поло́жена кра́сная се́тка, там води́лись ло́си, ко́зы... Я пока́зываю тут и фло́ру и фа́уну. На э́том о́зере ле́беди, гу́си, у́тки, и, как говоря́т старики́, пти́цы вся́кой была́ си́ла,* ви́димо-неви́димо:* носи́лась она́ ту́чей. Кро́ме сёл и дереве́нь, ви́дите, там и сям разбро́саны ра́зные вы́селки, хуторо́чки, раско́льничьи скиты́,* водяны́е ме́льницы... Рога́того скота́ и лошаде́й бы́ло мно́го. По голубо́й кра́ске ви́дно. Наприме́р, в э́той во́лости голуба́я кра́ска легла́ гу́сто; тут бы́ли це́лые табуны́, и на ка́ждый двор* приходи́лось по три ло́шади. (*Па́уза.*) Тепе́рь посмо́трим ни́же. То, что бы́ло два́дцать пять лет наза́д. Тут уж под ле́сом то́лько одна́ треть всей пло́щади. Коз уже́ нет, но ло́си есть. Зелёная и голуба́я кра́ски уже́ бледне́е. И так да́лее и так да́лее. Перехо́дим к тре́тьей ча́сти: карти́на уе́зда в настоя́щем. Зелёная кра́ска лежи́т кое-где́, но не сплошь, а пя́тнами; исче́зли и ло́си, и ле́беди, и глухари́... От пре́жних вы́селков, хуторко́в, ски́тов, ме́льниц и следа́ нет. В о́бщем карти́на постепе́нного и несомне́нного вырожде́ния, кото́рому,

повидимому, остаётся ещё каких-нибудь десять-пятнад-
цать лет, чтобы стать полным. Вы скажете, что тут
культурные влияния, что старая жизнь естественно
должна была уступить место новой.   Да, я понимаю, если
бы на месте этих истреблённых лесов пролегли шоссе,
железные дороги, если бы тут были заводы, фабрики,
школы — народ стал бы здоровее, богаче, умнее, но ведь
тут ничего подобного!* В уезде те же болота, комары,
то же бездорожье, нищета, тиф, дифтерит, пожары . . .
Тут мы имеем дело с вырождением вследствие непо-
сильной борьбы за существование; это вырождение от
косности, от невежества, от полнейшего отсутствия
самосознания, когда озябший, голодный, больной человек, чтобы спасти остатки жизни, чтобы сберечь своих
детей, инстинктивно, бессознательно хватается за всё, чем
только можно утолить голод, согреться, разрушает всё,
не думая о завтрашнем дне . . . Разрушено уже почти всё,
но взамен не создано ещё ничего. (*Холодно.*)   Я по лицу
вижу, что это вам неинтересно.

Елена Андреевна.   Но я в этом так мало понимаю . . .

Астров.   И понимать тут нечего, просто неинтересно.

Елена Андреевна. Откровенно говоря, мысли
мои не тем заняты.   Простите.   Мне нужно сделать вам
маленький допрос, и я смущена, не знаю, как начать.

Астров.   Допрос?

Елена Андреевна.   Да, допрос, но . . . довольно
невинный.   Сядем! (*Садятся.*) Дело касается одной
молодой особы.   Мы будем говорить, как честные
люди, как приятели, без обиняков.* Поговорим и забудем, о чём была речь.   Да?

Астров.   Да.

Елена Андреевна.   Дело касается моей падчерицы
Сони.   Она вам нравится?

Астров.   Да, я её уважаю.

Елена Андреевна.   Она вам нравится, как женщина?

E—U.V.

А́стров (*не сра́зу*).   Нет.

Еле́на Андре́евна.   Ещё два-три сло́ва — и коне́ц. Вы ничего́ не замеча́ли?

А́стров.   Ничего́.

Еле́на Андре́евна (*берёт его за́ руку*).   Вы не лю́бите её, по глаза́м ви́жу . . .   Она́ страда́ет . . .   Пойми́те э́то и . . . переста́ньте быва́ть здесь.

А́стров (*встаёт*).   Вре́мя моё уже́ ушло́ . . .   Да и не́когда . . . (*Пожа́в плеча́ми.*) Когда́ мне? (*Он смущён.*)

Еле́на Андре́евна.   Фу, како́й неприя́тный разгово́р!   Я так волну́юсь, то́чно протащи́ла на себе́ ты́сячу пудо́в.   Ну, сла́ва Бо́гу, ко́нчили.   Забу́дем, бу́дто не говори́ли во́все, и . . . и уезжа́йте.   Вы у́мный челове́к, поймёте . . . (*Па́уза.*)   Я да́же кра́сная вся ста́ла.

А́стров.   Е́сли бы вы сказа́ли ме́сяц-два наза́д, то я, пожа́луй, ещё поду́мал бы, но тепе́рь . . . (*Пожима́ет плеча́ми.*)   А е́сли она́ страда́ет, то, коне́чно . . .   То́лько одного́ не понима́ю: заче́м вам пона́добился э́тот допро́с? (*Гляди́т ей в глаза́ и грози́т па́льцем.*)   Вы — хи́трая!

Еле́на Андре́евна.   Что э́то зна́чит?

А́стров (*смея́сь*).   Хи́трая!   Поло́жим, Со́ня страда́ет, я охо́тно допуска́ю, но к чему́ э́тот ваш допро́с? (*Меша́я ей говори́ть, жи́во.*)   Позво́льте, не де́лайте удивлённого лица́,* вы отли́чно зна́ете, заче́м я быва́ю здесь ка́ждый день . . .   Заче́м и ра́ди кого́ быва́ю, э́то вы отли́чно зна́ете.   Хи́щница ми́лая, не смотри́те на меня́ так, я ста́рый воробе́й . . .*

Еле́на Андре́вна (*в недоуме́нии*).   Хи́щница?   Ничего́ не понима́ю.

А́стров.   Краси́вый, пуши́стый хорёк . . .   Вам нужны́ же́ртвы!   Вот я уже́ це́лый ме́сяц ничего́ не де́лаю, бро́сил всё, жа́дно ищу́ вас — и э́то вам ужа́сно нра́вится, ужа́сно . . .   Ну, что ж?   Я побеждён, вы э́то зна́ли и без допро́са. (*Скрести́в ру́ки и нагну́в го́лову.*) Покоря́юсь.   На́-те,* е́шьте!

Еле́на Андре́евна.   Вы с ума́ сошли́!

Астров (*смеётся сквозь зу́бы*). Вы засте́нчивы . . .

Еле́на Андре́евна. О, я лу́чше и вы́ше, чем вы ду́маете! Кляну́сь вас! (*Хо́чет уйти́.*)

Астров (*загора́живая ей доро́гу*). Я сего́дня уе́ду, быва́ть здесь не бу́ду, но . . . (*Берёт её за́ руку, огля́дывается.*) Где мы бу́дем ви́деться? Говори́те скоре́е: где? Сюда́ мо́гут войти́, говори́те скоре́е. (*Стра́стно.*) Кака́я чу́дная, роско́шная . . . Оди́н поцелу́й . . . Мне поцелова́ть то́лько ва́ши арома́тные во́лосы . . .

Еле́на Андре́евна. Кляну́сь вам . . .

Астров (*меша́я ей говори́ть*). Заче́м кля́сться? Не на́до кля́сться. Не на́до ли́шних слов . . . О, кака́я краси́вая! Каки́е ру́ки! (*Целу́ет ру́ки.*)

Еле́на Андре́евна. Но дово́льно, наконе́ц . . . уходи́те . . . (*Отнима́ет ру́ки.*) Вы забы́лись.

Астров. Говори́те же, говори́те, где мы за́втра уви́димся? (*Берёт её за та́лию.*) Ты ви́дишь, э́то неизбе́жно, нам на́до ви́деться. (*Целу́ет её; в это вре́мя вхо́дит Войни́цкий с буке́том роз и остана́вливается у две́ри.*)

Еле́на Андре́евна (*не ви́дя Войни́цкого*). Пощади́те . . . оста́вьте меня́ . . . (*Кладёт Астрову го́лову на грудь.*) Нет! (*Хо́чет уйти́.*)

Астров (*уде́рживая её за та́лию*). Приезжа́й за́втра в лесни́чество . . . часа́м к двум . . . Да? Да? Ты прие́дешь?

Еле́на Андре́евна (*уви́дев Войни́цкого*). Пусти́те! (*В си́льном смуще́нии отхо́дит к окну́.*) Это ужа́сно.

Войни́цкий (*кладёт буке́т на стул; волну́ясь, вытира́ет платко́м лицо́ и за воротнико́м*). Ничего́ . . . Да . . . Ничего́ . . .

Астров (*буди́руя*). Сего́дня, многоуважа́емый Ива́н Петро́вич, пого́да недурна́. Утром бы́ло па́смурно, сло́вно как бы на дождь, а тепе́рь со́лнце. Говоря́ по со́вести, о́сень вы́далась прекра́сная . . . и о́зими ничего́ себе́. (*Свёртывает картогра́мму в тру́бку.*) Вот то́лько что: дни коротки́ ста́ли . . . (*Ухо́дит.*)

Еле́на Андре́евна (*бы́стро подхо́дит к Войни́цкому*). Вы постара́етесь, вы употреби́те всё ва́ше влия́ние, что́бы я и муж уе́хали отсю́да сего́дня же! Слы́шите? Сего́дня же!

Войни́цкий (*вытира́я лицо́*). А? Ну, да . . . хорошо́ . . . Я, Hélène, всё ви́дел, всё . . .

Еле́на Андре́евна (*не́рвно*). Слы́шите? Я должна́ уе́хать отсю́да сего́дня же!

(*Вхо́дят Серебряко́в, Со́ня, Теле́гин и Мари́на.*)

Теле́гин. Я сам, ва́ше превосходи́тельство, что́-то не совсе́м здоро́в. Вот уже́ два дня хвора́ю. Голова́ что́-то того́ . . .*

Серебряко́в. Где же остальны́е? Не люблю́ я э́того до́ма. Како́й-то лабири́нт. Два́дцать шесть грома́дных ко́мнат, разбреду́тся все, и никого́ никогда́ не найдёшь. (*Звони́т.*) Пригласи́те сюда́ Ма́рью Васи́льевну и Еле́ну Андре́евну!

Еле́на Андре́евна. Я здесь.

Серебряко́в. Прошу́, господа́, сади́ться.

Со́ня (*подойдя́ к Еле́не Андре́евне, нетерпели́во*). Что он сказа́л?

Еле́на Андре́евна. По́сле.

Со́ня. Ты дрожи́шь? Ты взволно́вана? (*Пытли́во всма́тривается в её лицо́.*) Я понима́ю . . . Он сказа́л, что уже́ бо́льше не бу́дет быва́ть здесь . . . да? (*Па́уза.*) Скажи́: да?

(*Еле́на Андре́евна утверди́тельно кива́ет голово́й.*)

Серебряко́в (*Теле́гину*). С нездоро́вьем ещё мо́жно мири́ться, куда́ ни шло,* но чего́ я не могу́ перевари́ть, так э́то стро́я дереве́нской жи́зни. У меня́ тако́е чу́вство, как бу́дто я с земли́ свали́лся на каку́ю-то чужу́ю плане́ту. Сади́тесь, господа́, прошу́ вас. Со́ня! (*Со́ня не слы́шит его́, она́ стои́т, печа́льно опусти́в го́лову.*) Со́ня! (*Па́уза.*) Не слы́шит. (*Мари́не.*) И ты, ня́ня, сади́сь. (*Ня́ня сади́тся и вя́жет чуло́к.*) Прошу́, господа́. Пове́сьте, так сказа́ть, ва́ши у́ши на гвоздь внима́ния. (*Смеётся.*)

Войни́цкий (*волну́ясь*). Я, быть мо́жет, не ну́жен? Могу́ уйти́?

Серебряко́в. Нет, ты здесь нужне́е всех.

Войни́цкий. Что вам от меня́ уго́дно?

Серебряко́в. Вам . . . Что же ты* серди́шься? (*Па́уза.*) Если я в чем винова́т перед тобо́ю, то извини́, пожа́луйста.

Войни́цкий. Оста́вь э́тот тон. Присту́пим к де́лу . . . Что тебе́ ну́жно?

(*Вхо́дит Мари́я Васи́льевна.*)

Серебряко́в. Вот и maman. Я начина́ю, господа́. (*Па́уза.*) Я пригласи́л вас, господа́, чтобы объяви́ть вам, что к нам е́дет ревизо́р.* Впро́чем, шу́тки в сто́рону.* Де́ло серьёзное. Я, господа́, собра́л вас, чтобы попроси́ть у вас по́мощи и сове́та, и, зна́я всегда́шнюю ва́шу любе́зность, наде́юсь, что получу́ их. Челове́к я учёный, кни́жный и всегда́ был чужд практи́ческой жи́зни. Обойти́сь без указа́ний све́дущих люде́й я не могу́ и прошу́ тебя́, Ива́н Петро́вич, вот вас, Илья́ Ильи́ч, вас maman . . . Де́ло в том, что manet omnes una nox,* то есть все мы под Бо́гом хо́дим;* я стар, бо́лен и потому́ нахожу́ своевре́менным регули́ровать свои́ иму́щественные отноше́ния постольку, поско́льку они́ каса́ются мое́й семьи́. Жизнь моя́ уже́ ко́нчена, о себе́ я не ду́маю, но у меня́ молода́я жена́, дочь-де́вушка. (*Па́уза.*) Продолжа́ть жить в дере́вне мне невозмо́жно. Мы для дере́вни не со́зданы. Жить же в го́роде на те сре́дства, каки́е мы получа́ем от э́того име́ния, невозмо́жно. Если прода́ть, поло́жим, лес, то э́то ме́ра экстраордина́рная, кото́рою нельзя́ по́льзоваться ежего́дно. Нужно изыска́ть таки́е ме́ры, кото́рые гаранти́ровали бы нам постоя́нную, бо́лее или ме́нее определённую ци́фру дохо́да. Я приду́мал одну́ таку́ю ме́ру и име́ю честь предложи́ть её на ва́ше обсужде́ние. Мину́я дета́ли, изложу́ её в о́бщих черта́х. На́ше име́ние даёт в сре́днем разме́ре* не бо́лее двух проце́нтов. Я предлага́ю прода́ть его́. Если вы́рученные де́ньги мы обрати́м в проце́нтные бума́ги, то бу́дем получа́ть от четырёх до пяти́ проце́нтов, и я ду́маю, что бу́дет да́же изли́шек в не́сколько ты́сяч, кото́рый нам позво́лит купи́т в Финля́ндии небольшу́ю да́чу.

Войни́цкий. Посто́й . . . Мне ка́жется, что мне изменя́ет мой слух. Повтори́, что ты сказа́л.

Серебряко́в. Де́ньги обрати́ть в проце́нтные бума́ги и на изли́шек, како́й оста́нется, купи́ть да́чу в Финля́ндии.

Войни́цкий. Не Финля́ндия . . . Ты ещё что́-то друго́е сказа́л.

Серебряко́в. Я предлага́ю прода́ть име́ние.

Войни́цкий. Вот э́то са́мое. Ты прода́шь име́ние, превосхо́дно, бога́тая иде́я . . . А куда́ прика́жешь дева́ться мне со стару́хой ма́терью и вот с Со́ней?

Серебряко́в. Всё это своевре́менно мы обсу́дим. Не сра́зу же.

Войни́цкий. Посто́й. Очеви́дно, до сих пор у меня́ не́ было ни ка́пли здра́вого смы́сла. До сих пор я име́л глу́пость ду́мать, что э́то име́ние принадлежи́т Со́не. Мой поко́йный оте́ц купи́л э́то име́ние в прида́ное для мое́й сестры́. До сих пор я был наи́вен, понима́л зако́ны не по-туре́цки и ду́мал, что име́ние от сестры́ перешло́ к Со́не.

Серебряко́в. Да, име́ние принадлежи́т Со́не. Кто спо́рит? Без согла́сия Со́ни я не решу́сь прода́ть его́. К тому́ же я предлага́ю сде́лать э́то для бла́га Со́ни.

Войни́цкий. Это непостижи́мо, непостижи́мо! Или я с ума́ сошёл, и́ли . . . и́ли . . .

Ма́рия Васи́льевна. Жан,* не противоре́чь Алекса́ндру. Верь, он лу́чше нас зна́ет, что хорошо́ и что ду́рно.

Войни́цкий. Нет, да́йте мне воды́. (*Пьёт во́ду.*) Говори́те, что хоти́те, что хоти́те!

Серебряко́в. Я не понима́ю, отчего́ ты волну́ешься. Я не говорю́, что мой прое́кт идеа́лен. Е́сли все найду́т его́ него́дным, то я не бу́ду наста́ивать.

(*Пауза.*)

Телегин (*в смущении*). Я, ваше превосходительство, питаю к науке не только благоговение, но и родственные чувства. Брата моего Григория Ильича жены брат, может, изволите знать, Константин Трофимович Лакедемонов, был магистром . . .

Войницкий. Постой. Вафля, мы о деле . . . Погоди, после . . . (*Серебрякову.*) Вот спроси ты у него. Это имение куплено у его дяди.

Серебряков. Ах, зачем мне спрашивать? К чему?

Войницкий. Это имение было куплено по тогдашнему времени за девяносто пять тысяч. Отец уплатил только семьдесят, и осталось долгу двадцать пять тысяч. Теперь слушайте . . . Имение это не было бы куплено, если бы я не отказался от наследства в пользу сестры, которую горячо любил. Мало того, я десять лет работал, как вол, и выплатил весь долг . . .

Серебряков. Я жалею, что начал этот разговор.

Войницкий. Имение чисто от долгов и не растроено только благодаря моим личным усилиям. И вот когда я стал стар, меня хотят выгнать отсюда в шею!*

Серебряков. Я не понимаю, чего ты добиваешься!

Войницкий. Двадцать пять лет я управлял этим имением, работал, высылал тебе деньги, как самый добросовестный приказчик, и за всё время ты ни разу не поблагодарил меня. Всё время — и в молодости и теперь — я получал от тебя жалованья пятьсот рублей в год — нищенские деньги! и ты ни разу не догадался прибавить мне хоть один рубль!

Серебряков. Иван Петрович, почём же я знал?* Я человек не практический и ничего не понимаю. Ты мог бы сам прибавить себе, сколько угодно.

Войницкий. Зачем я не крал? Отчего вы все не презираете меня за то, что я не крал? Это было бы справедливо, и теперь я не был бы нищим!

Мария Васильевна (*строго*). Жан!

Телегин (*волнуясь*). Ваня, дружочек, не надо, не надо . . . я дрожу . . . Зачем портить хорошие отношения? (*Целует его.*) Не надо.

Войницкий. Двадцать пять лет я вот с этою матерью, как крот, сидел в четырёх стенах . . . Все наши мысли и чувства принадлежали тебе одному. Днём мы говорили о тебе, о твоих работах, гордились тобою, с благоговением произносили твоё имя; ночи мы губили на то, что читали журналы и книги, которые я теперь глубоко презираю!

Телегин. Не надо, Ваня, не надо . . . Не могу . . .

Серебряков (*гневно*). Не понимаю, что тебе нужно?

Войницкий. Ты для нас был существом высшего порядка, а твои статьи мы знали наизусть . . . Но теперь у меня открылись глаза! Я всё вижу! Пишешь ты об искусстве, но ничего не понимаешь в искусстве! Все твои работы, которые я любил, не стоят гроша медного!* Ты морочил нас!

Серебряков. Господа! Да уймите же его, наконец! Я уйду!

Елена Андреевна. Иван Петрович, я требую, чтобы вы замолчали! Слышите?

Войницкий. Не замолчу! (*Загораживая Серебрякову дорогу.*) Постой, я не кончил. Ты погубил мою жизнь! Я не жил, не жил! По твоей милости я истребил, уничтожил лучшие годы своей жизни! Ты мой злейший враг!

Телегин. Я не могу . . . не могу . . . Я уйду . . . (*В сильном волнении уходит.*)

Серебряков. Что ты хочешь от меня? И какое ты имеешь право говорить со мною таким тоном? Ничтожество! Если имение твоё, то бери его, я не нуждаюсь в нем!

Елена Андреевна. Я сию же минуту уезжаю из этого ада! (*Кричит.*) Я не могу дольше выносить!

Войницкий. Пропала жизнь! Я талантлив, умён, смел . . . Если бы я жил нормально, то из меня мог бы

вы́йти Шопенга́уэр,* Достое́вский . . . Я зарапортова́л-
ся! Я с ума́ схожу́ . . . Ма́тушка, я в отча́янии! Ма́-
тушка!

Ма́рия Васи́льевна (*стро́го*). Слу́шайся Алекса́н-
дра!

Со́ня (*стано́вится перед ня́ней на коле́ни и прижима́ется
к ней*). Ня́нечка! Ня́нечка!

Войни́цкий. Ма́тушка! Что мне де́лать? Не ну́ж-
но, не говори́те! Я сам зна́ю, что мне де́лать! (*Серебря-
ко́ву.*) Бу́дешь ты меня́ по́мнить! (*Ухо́дит в сре́днюю
дверь.*)

(*Ма́рия Васи́льевна идёт за ним.*)

Серебряко́в. Господа́, что же э́то тако́е, наконе́ц?
Убери́те от меня́ э́того сумасше́дшего! Не могу́ я жить
с ним под одно́ю кры́шей! Живёт тут (*ука́зывает на
сре́днюю дверь*), почти́ ря́дом со мно́ю . . . Пусть пере-
бира́ется в дере́вню, во фли́гель, или я перебору́сь от-
сю́да, но остава́ться с ним в одно́м до́ме я не могу́ . . .

Еле́на Андре́евна (*му́жу*). Мы сего́дня уе́дем
отсю́да! Необходи́мо распоряди́ться сию́ же мину́ту.

Серебряко́в. Ничто́жнейший челове́к!

Со́ня (*сто́я на коле́нях, обора́чивается к отцу́; не́рвно,
сквозь слёзы*). На́до быть милосе́рдным, па́па! Я и дя́дя
Ва́ня так несча́стны! (*Сде́рживая отча́яние*). На́до быть
милосе́рдным! Вспо́мни, когда́ ты был помоло́же, дя́дя
Ва́ня и ба́бушка по ноча́м переводи́ли для тебя́ кни́ги,
перепи́сывали твои́ бума́ги . . . все но́чи, все но́чи! Я и
дя́дя Ва́ня рабо́тали без о́тдыха, боя́лись потра́тить на
себя́ копе́йку и всё посыла́ли тебе́ . . . Мы не е́ли да́ром
хле́ба! Я говорю́ не то,* не то я говорю́, но ты до́лжен
поня́ть нас, па́па. На́до быть милосе́рдным!

Еле́на Андре́евна (*взволно́ванная, му́жу*). Алек-
са́ндр, ра́ди Бо́га объясни́сь с ним . . .* Умоля́ю.

Серебряко́в. Хорошо́, я объясню́сь с ним . . . Я ни
в чём его́ не обвиня́ю, я не сержу́сь, но, согласи́тесь, по-
веде́ние его́ по ме́ньшей ме́ре стра́нно. Изво́льте, я
пойду́ к нему́. (*Ухо́дит в сре́днюю дверь.*)

Еле́на Андре́евна. Будь с ним помя́гче, успоко́й его ... (*Ухо́дит за ним.*)

Со́ня (*прижима́ясь к ня́не*). Ня́нечка! Ня́нечка!

Мари́на. Ничего́, де́точка. Погого́чут гусаки́ — и переста́нут ... Погого́чут — и переста́нут ...

Со́ня. Ня́нечка!

Мари́на (*гла́дит её по голове́*). Дрожи́шь, сло́вно в моро́з! Ну, ну, сиро́тка,* Бог ми́лостив. Ли́пового чайку́* или мали́нки, оно́ и пройдёт ... Не горю́й, сиро́тка ... (*Гля́дя на сре́днюю дверь, с се́рдцем.*) Ишь расходи́лись гусаки́, чтоб вам пу́сто!* (*За сце́ной вы́стрел; слы́шно, как вскри́кивает Еле́на Андре́евна; Со́ня вздра́гивает.*) У, чтоб тебя́!*

Серебряко́в (*вбега́ет, поша́тываясь от испу́га*). Удержи́те его! Удержи́те! Он сошёл с ума́!

(*Еле́на Андре́евна и Войни́цкий бо́рются в дверя́х.*)

Еле́на Андре́евна (*стара́ясь отня́ть у него́ револьве́р*). Отда́йте! Отда́йте, вам говоря́т!

Войни́цкий. Пусти́те, Hélène! Пусти́те меня́! (*Освободи́вшись, вбега́ет и и́щет глаза́ми Серебряко́ва.*) Где он? А, вот он! (*Стреля́ет в него́.*) Бац! (*Па́уза.*) Не попа́л? Опя́ть про́мах?! (*С гне́вом.*) А, чёрт, чёрт ... чёрт бы побра́л ...* (*Бьёт револьве́ром об пол и в изнеможе́нии сади́тся на стул. Серебряко́в ошеломлён; Еле́на Андре́евна прислони́лась к стене́, ей ду́рно.*)

Еле́на Андре́евна. Увези́те меня́ отсю́да! Увези́те, убе́йте, но ... я не могу́ здесь остава́ться, не могу́!

Войни́цкий (*в отча́янии*). О, что я де́лаю! Что я де́лаю!

Со́ня (*ти́хо*). Ня́нечка! Ня́нечка!

За́навес

ДЕЙСТВИЕ ЧЕТВЁРТОЕ

Комната Ивана Петровича; тут его спальня, тут же и контора имения. У окна большой стол с приходо-расходными книгами и бумагами всякого рода, конторка, шкафы, весы. Стол поменьше для Астрова; на этом столе принадлежности для рисования, краски; возле папка. Клетка со скворцом. На стене карта Африки, видимо, никому здесь не нужная. Громадный диван, обитый клеёнкой. Налево — дверь, ведущая в покои; направо — дверь в сени; подле правой двери положен половик, чтобы не нагрязнили мужики. — Осенний вечер. Тишина.

Телегин и Марина (сидят друг против друга и мотают чулочную шерсть).

Т е л е г и н. Вы скорее, Марина Тимофеевна, а то сейчас позовут прощаться. Уже приказали лошадей подавать.

М а р и н а *(старается мотать быстрее).* Немного осталось.

Т е л е г и н. В Харьков уезжают. Там жить будут.

М а р и н а. И лучше.

Т е л е г и н. Напужались . . .* Елена Андреевна «одного часа, говорит, не желаю жить здесь . . . уедем да уедем . . . Поживём, говорит, в Харькове, оглядимся и тогда за вещами пришлём . . .» Налегке* уезжают. Значит, Марина Тимофеевна, не судьба им жить тут. Не судьба . . . Фатальное предопределение.

М а р и н а. И лучше. Давеча подняли шум, пальбу — срам один!

Т е л е г и н. Да, сюжет, достойный кисти Айвазовского.*

М а р и н а. Глаза бы мои не глядели.* *(Пауза.)* Опять заживём, как было, по-старому. Утром в восьмом часу чай, в первом часу обед, вечером — ужинать

59

садиться; всё своим порядком, как у людей . . . по-
христиáнски. (*Со вздóхом.*) Давнó ужé я, грéшница,
лапши́ не éла.

Телéгин. Да, давнéнько у нас лапши́ не готóвили.
(*Пáуза.*) Давнéнько . . .* Сегóдня ýтром, Мари́на
Тимофéевна, идý я дерéвней, а лáвочник мне вслед: «Эй
ты, прижива́л!» И так мне гóрько стáло!

Мари́на. А ты без внима́ния,* бáтюшка. Все мы у
Бóга прижива́лы. Как ты, как Сóня, как Ива́н Петрóвич
— никтó без дéла не сиди́т, все трýдимся! Все . . . Где
Сóня?

Телéгин. В садý. С дóктором всё хóдит, Ива́на
Петрóвича и́щет. Боя́тся, как бы он на себя́ рук не
наложи́л.

Мари́на. А где егó пистолéт?

Телéгин (*шёпотом*). Я в пóгребе спря́тал!

Мари́на (*с усмéшкой*). Грехи́!*

(*Вхóдят со дворá Войни́цкий и Астров.*)

Войни́цкий. Остáвь меня́. (*Мари́не и Телéгину.*)
Уйди́те отсю́да, остáвьте меня́ одногó хоть на оди́н час!
Я не терплю́ опéки.

Телéгин. Сию́ минýту,* Вáня. (*Ухóдит на цы-
почках.*)

Мари́на. Гусáк: го-го-гó! (*Собира́ет шерсть и
ухóдит.*)

Войни́цкий. Остáвь меня́!

Астров. С больши́м удовóльствием, мне давнó ужé
нýжно уéхать отсю́да, но, повторя́ю, я не уéду, покá ты не
возрати́шь тогó, что взял у меня́.

Войни́цкий. Я у тебя́ ничегó не брал.

Астров. Серьёзно говорю́ — не задéрживай. Мне
давнó ужé порá éхать.

Войни́цкий. Ничегó я у тебя́ не брал.

(*Оба садя́тся.*)

Астров. Да? Что ж, погожý ещё немнóго, а потóм,

извини́, придётся употреби́ть наси́лие. Свя́жем тебя́ и
обы́щем. Говорю́ э́то соверше́нно серьёзно.

Войни́цкий. Как уго́дно. (*Па́уза.*) Разыгра́ть та-
ко́го дурака́:* стреля́ть два ра́за и ни ра́зу не попа́сть!
Этого я себе́ никогда́ не прощу́!

Астро́в. Пришла́ охо́та стреля́ть,* ну, и пали́л бы в
лоб себе́ самому́.

Войни́цкий (*пожа́в плеча́ми*). Стра́нно. Я покуша́л-
ся на уби́йство, а меня́ не аресто́вывают, не отдаю́т под
суд. Зна́чит, счита́ют меня́ сумасше́дшим. (*Злой смех.*)
Я — сумасше́дший, а не сумасше́дшие те, кото́рые под
личи́ной профе́ссора, учёного ма́га, пря́чут свою́ безда́р-
ность, ту́пость, своё вопию́щее бессерде́чие. Не сума-
сше́дшие те, кото́рые выхо́дят за старико́в и пото́м у всех
на глаза́х обма́нывают их. Я ви́дел, ви́дел, как ты
обнима́л её!

Астро́в. Да-с, обнима́л-с, а тебе́ вот. (*Де́лает нос.**)

Войни́цкий (*гля́дя на дверь*). Нет, сумасше́дшая
земля́, кото́рая ещё де́ржит вас!

Астро́в. Ну, и глу́по.

Войни́цкий. Что ж, я — сумасше́дший, невменя́ем,
я име́ю пра́во говори́ть глу́пости.

Астро́в. Стара́ шту́ка. Ты не сумасше́дший, а про́-
сто чуда́к. Шут горо́ховый.* Пре́жде и я вся́кого
чудака́ счита́л больны́м, ненорма́льным, а тепе́рь я тако́го
мне́ния, что норма́льное состоя́ние челове́ка — э́то быть
чудако́м. Ты вполне́ норма́лен.

Войни́цкий (*закрыва́ет лицо́ рука́ми*). Сты́дно! Если
бы ты знал, как мне сты́дно! Это о́строе чу́вство стыда́
не мо́жет сравни́ться ни с како́ю бо́лью. (*С тоско́й.*)
Невыноси́мо! (*Склоня́ется к столу́.*) Что мне де́лать?
Что мне де́лать?

Астро́в. Ничего́.

Войни́цкий. Дай мне чего́-нибудь! О Бо́же мой . . .
Мне со́рок семь лет; если, поло́жим, я проживу́ до
шести́десяти, то мне остаётся ещё трина́дцать. До́лго!
Как я проживу́ э́ти трина́дцать лет? Что бу́ду де́лать,

чем напо́лню их? О, понима́ешь . . . (*судоро́жно жмёт
Астро́ву ру́ку*) понима́ешь, е́сли бы мо́жно бы́ло прожи́ть
оста́ток жи́зни ка́к-нибудь по-но́вому. Просну́ться бы в
я́сное, ти́хое у́тро и почу́вствовать, что жить ты на́чал
сно́ва, что всё про́шлое забы́то, рассе́ялось, как дым.
(*Пла́чет.*) Нача́ть но́вую жизнь . . . Подскажи́ мне,
как нача́ть . . . с чего́ нача́ть . . .

А с т р о в (*с доса́дой*). Э, ну́ тебя́!* Кака́я ещё там
но́вая жизнь! На́ше положе́ние, твоё и моё, безнадёжно.

В о й н и́ ц к и й. Да?

А с т р о в. Я убеждён в э́том.

В о й н и́ ц к и й. Дай мне чего́-нибудь . . . (*Пока́зывая
на се́рдце.*) Жжёт здесь.

А с т р о в (*кричи́т серди́то*). Переста́нь! (*Смяг-
чи́вшись.*) Те, кото́рые бу́дут жить че́рез сто, две́сти лет
по́сле нас и кото́рые бу́дут презира́ть нас за то, что мы
про́жили свои́ жи́зни так глу́по и так безвку́сно, — те,
быть мо́жет, найду́т сре́дство, как быть счастли́выми, а
мы . . . У нас с тобо́ю то́лько одна́ наде́жда и есть.
Наде́жда, что когда́ мы бу́дем почива́ть в свои́х гроба́х,
то нас посетя́т виде́ния, быть мо́жет, да́же прия́тные.
(*Вздохну́в.*) Да, брат. Во всём у́езде бы́ло то́лько два
поря́дочных, интеллиге́нтных челове́ка: я да ты. Но в
каки́е-нибудь де́сять лет жизнь обыва́тельская, жизнь
презре́нная затяну́ла нас; она́ свои́ми гнилы́ми испа-
ре́ниями отрави́ла на́шу кровь, и мы ста́ли таки́ми
же пошляка́ми, как все. (*Жи́во.*) Но ты мне зубо́в
не загова́ривай,* одна́ко. Ты отда́й то, что взял у
меня́.

В о й н и́ ц к и й. Я у тебя́ ничего́ не брал.

А с т р о в. Ты взял у меня́ из доро́жной апте́ки
ба́ночку с мо́рфием. (*Па́уза.*) Послу́шай, е́сли тебе́ во
что́ бы то ни ста́ло* хо́чется поко́нчить с собо́ю, то ступа́й
в лес и застрели́сь там. Мо́рфий же отда́й, а то пойду́т
разгово́ры, дога́дки, поду́мают, что э́то я тебе́ дал . . . С
меня́ же дово́льно и того́, что* мне придётся вскрыва́ть
тебя́ . . . Ты ду́маешь, э́то интере́сно?

(*Входит Со́ня.*)

Войни́цкий.   Оста́вь меня́!

Астров (*Со́не*).   Со́фья Алекса́ндровна, ваш дя́дя
утащи́л из мое́й апте́ки ба́ночку с мо́рфием и не отдаёт.
Скажи́те ему́, что э́то . . . не у́мно, наконе́ц.   Да и не́когда
мне.   Мне пора́ е́хать.

Со́ня.   Дя́дя Ва́ня, ты взял мо́рфий?

(*Па́уза.*)

Астров.   Он взял.   Я в э́том уве́рен.

Со́ня.   Отда́й.   Заче́м ты нас пуга́ешь?   (*Не́жно.*)
Отда́й, дя́дя Ва́ня!   Я, быть мо́жет, несча́стна не ме́ньше
твоего́, одна́коже не прихожу́ в отча́яние.   Я терплю́ и
бу́ду терпе́ть, пока́ жизнь моя́ не око́нчится сама́ собо́ю . . .
Терпи́ и ты.   (*Па́уза.*) Отда́й!   (*Целу́ет ему́ ру́ки*).
Дорого́й, сла́вный дя́дя, ми́лый, отда́й!   (*Пла́чет.*) Ты
до́брый, ты пожале́ешь нас и отда́шь.   Терпи́, дя́дя!
Терпи́!

Войни́цкий (*достаёт из стола́ ба́ночку и подаёт её
Астрову*).   На, возьми́ (*Со́не*.)   Но на́до скоре́е рабо́тать,
скоре́е де́лать что́-нибудь, а то не могу́ . . . не могу́ . . .

Со́ня.   Да, да, рабо́тать.   Как то́лько проводим на́-
ших, ся́дем рабо́тать . . .   (*Не́рвно перебира́ет на столе́
бума́ги.*)   У нас всё запу́щено.

Астров (*кладёт ба́ночку в апте́ку и затя́гивает ремни́*).
Тепе́рь мо́жно и в путь.*

Еле́на Андре́евна (*вхо́дит*).   Ива́н Петро́вич, вы
здесь?   Мы сейча́с уезжа́ем . . .   Иди́те к Алекса́ндру,
он хо́чет что́-то сказа́ть вам.

Со́ня.   Иди́, дя́дя Ва́ня.   (*Берёт Войни́цкого по́д руку.*)
Пойдём.   Па́па и ты должны́ помири́ться.   Это не-
обходи́мо.

(*Со́ня и Войни́цкий ухо́дят.*)

Еле́на Андре́евна.   Я уезжа́ю.   (*Подаёт Астрову
ру́ку.*)   Проща́йте.

Астров.   Уже́?

Еле́на Андре́евна. Ло́шади уже́ по́даны.

Астров. Проща́йте.

Еле́на Андре́евна. Сего́дня вы обеща́ли мне, что уе́дете остю́да.

Астров. Я по́мню. Сейча́с уе́ду. (*Па́уза.*) Испуга́лись? (*Берёт её за́ руку.*) Ра́зве э́то так стра́шно?

Еле́на Андре́евна. Да.

Астров. А то оста́лись бы! А? За́втра в лесни́честве . . .

Еле́на Андре́евна. Нет . . . Уже́ решено́ . . . И потому́ я гляжу́ на вас так хра́бро, что уже́ решён отъе́зд . . . Я об одно́м вас прошу́: ду́майте обо мне́ лу́чше. Мне хо́чется, чтобы вы меня́ уважа́ли.

Астров. Э! (*Жест нетерпе́ния.*) Оста́ньтесь, прошу́ вас. Сознайтесь, де́лать вам на э́том све́те не́чего, це́ли жи́зни у вас никако́й, заня́ть вам своего́ внима́ния не́чем, и, ра́но или по́здно, всё равно́ поддади́тесь чу́вству, — э́то неизбе́жно. Так уж лу́чше э́то не в Ха́рькове и не где́-нибудь в Ку́рске, а здесь, на ло́не приро́ды . . .* Поэти́чно по кра́йней ме́ре, да́же о́сень краси́ва . . . Здесь есть лесни́чество, полуразру́шенные уса́дьбы во вку́се Турге́нева . . .

Еле́на Андре́евна. Како́й вы смешно́й . . . Я серди́та на вас, но всё же . . . бу́ду вспомина́ть о вас с удово́льствием. Вы интере́сный, оригина́льный челове́к. Бо́льше мы с ва́ми уже́ никогда́ не уви́димся, а потому́ — заче́м скрыва́ть? Я да́же увлекла́сь ва́ми немно́жко. Ну, дава́йте пожмём друг дру́гу ру́ки и разойдёмся друзья́ми. Не помина́йте ли́хом.*

Астров (*пожа́л ру́ку*). Да, уезжа́йте . . . (*В разду́мье.*) Как бу́дто бы вы и хоро́ший, душе́вный челове́к, но как бу́дто бы и что́-то стра́нное во всём ва́шем существе́. Вот вы прие́хали сюда́ с му́жем, и все, кото́рые здесь рабо́тали, копоши́лись, создава́ли что́-то, должны́ бы́ли поброса́ть свои́ дела́ и всё ле́то занима́ться то́лько пода́грой ва́шего му́жа и ва́ми. Оба — он и вы — зарази́ли всех нас ва́шею пра́здностью. Я увлёкся, це́лый месяц ничего не делал, а в это время люди болели, в лесах моих, лесных порослях, мужики пасли свой скот . . . Итак, куда бы ни ступили вы и ваш муж, всюду вы вносите разрушение . . . Я шучу, конечно, но всё же . . . странно, и я убеждён, что если бы вы остались, то опустошение произошло бы громадное. И я бы погиб, да и вам бы . . . не сдобровать.* Ну, уезжайте. Finita la comedia!*

Елена Андреевна (берёт с его стола карандаш и быстро прячет). Этот карандаш я беру себе на память.

Астров. Как-то странно . . . Были знакомы и вдруг почему-то . . . никогда уже больше не увидимся. Так и всё на свете . . . Пока здесь никого нет, пока дядя Ваня не вошёл с букетом, позвольте мне . . . поцеловать вас . . . На прощанье . . . Да? (Целует её в щёку.) Ну, вот . . . и прекрасно.

Елена Андреевна. Желаю вам всего хорошего. (Оглянувшись.) Куда ни шло, раз в жизни! (Обнимает его порывисто, и оба тотчас же быстро отходят друг от друга.) Надо уезжать.

Астров. Уезжайте поскорее. Если лошади поданы, то отправляйтесь.

Елена Андреевна. Сюда идут, кажется.

(Оба прислушиваются.)

Астров. Finita!
(Входят Серебряков, Войницкий, Мария Васильевна с книгой, Телегин и Соня.)

Серебряков (Войницкому). Кто старое помянет, тому глаз вон.* После того, что случилось в эти несколько часов, я так много пережил и столько передумал, что, кажется, мог бы написать в назидание потомству целый трактат о том, как надо жить. Я охотно принимаю твои извинения и сам прошу извинить меня. Прощай! (Целуется с Войницким три раза.)

Войницкий. Ты будешь аккуратно получать то же, что получал и раньше. Всё будет по-старому.

(*Еле́на Андре́евна обнима́ет Со́ню.*)

Серебряко́в (*целу́ет у Мари́и Васи́льевны ру́ку*). Maman . . .

Ма́рия Васи́льевна (*целу́я его́*). Алекса́ндр, сними́-тесь опя́ть и пришли́те мне ва́шу фотогра́фию. Вы зна́ете, как вы мне до́роги.

Теле́гин. Проща́йте, ва́ше превосходи́тельство! Нас не забыва́йте!

Серебряко́в (*поцелова́в дочь*). Проща́й . . . Все проща́йте! (*Подава́я ру́ку Астро́ву.*) Благодарю́ вас за прия́тное о́бщество . . . Я уважа́ю ваш о́браз мы́слей, ва́ши увлече́ния, поры́вы, но позво́льте старику́ внести́ в мой проща́льный приве́т то́лько одно́ замеча́ние: на́до, госпо́да, де́ло де́лать. На́до де́ло де́лать! (*О́бщий покло́н.*) Всего́ хоро́шего! (*Ухо́дит; за ним иду́т Ма́рия Васи́льевна и Со́ня.*)

Войни́цкий (*кре́пко целу́ет ру́ку у Еле́ны Андре́евны*). Проща́йте . . . Прости́те . . . Никогда́ бо́льше не уви́димся.

Еле́на Андре́евна (*растро́ганная*). Проща́йте, голу́б-чик. (*Целу́ет его́ в го́лову и ухо́дит.*)

Астро́в (*Теле́гину*). Скажи́ там, Ва́фля, чтобы заодно́* кста́ти подава́ли и мне лошаде́й.

Теле́гин. Слу́шаю, дружо́чек. (*Ухо́дит.*)

(*Остаю́тся то́лько Астро́в и Войни́цкий.*)

Астро́в (*убира́ет со стола́ кра́ски и пря́чет их в чемода́н*). Что же ты не идёшь проводи́ть?

Войни́цкий. Пусть уезжа́ют, а я . . . я не могу́. Мне тяжело́. На́до поскоре́й заня́ть себя́ чём-нибудь . . . Рабо́тать, рабо́тать! (*Ро́ется в бума́гах на столе́.*)

(*Па́уза; слы́шны звонки́.*)

Астро́в. Уе́хали. Профе́ссор рад небо́сь! Его́ тепе́рь сюда́ и калачо́м не зама́нишь.*

Мари́на (*вхо́дит*). Уе́хали. (*Сади́тся в кре́сло и вя́жет чуло́к.*)

Со́ня (*вхо́дит*). Уе́хали. (*Утира́ет глаза́.*) Дай Бог благополу́чно. (*Дя́де.*) Ну, дя́дя Ва́ня, дава́й де́лать что́-нибудь.

Войни́цкий. Рабо́тать, рабо́тать . . .

Со́ня. Давно́, давно́ уже́ мы не сиде́ли вме́сте за э́тим столо́м. (*Зажига́ет на столе́ ла́мпу.*) Черни́л, ка́жется, нет . . . (*Берёт черни́льницу, идёт к шка́фу и налива́ет черни́л.*) А мне гру́стно, что они́ уе́хали.

Ма́рия Васи́льевна (*ме́дленно вхо́дит*). Уе́хали! (*Сади́тся и погружа́ется в чте́ние.*)

Со́ня (*сади́тся за стол и перели́стывает конто́рскую кни́гу*). Напи́шем, дя́дя Ва́ня, пре́жде всего́ счета́. У нас стра́шно запу́щено. Сего́дня опя́ть присыла́ли за счётом. Пиши́. Ты пиши́ оди́н счёт, я — друго́й . . .

Войни́цкий (*пи́шет*). «Счёт . . . господи́ну . . .»

(*Оба пи́шут мо́лча.*)

Мари́на (*зева́ет*). Ба́иньки захоте́лось . . .*

Астров. Тишина́. Пе́рья скрипя́т, сверчо́к кричи́т. Тепло́, ую́тно . . . Не хо́чется уезжа́ть отсю́да. (*Слы́шны бубе́нчики.*) Вот подаю́т лошаде́й . . . Остаётся, ста́ло быть, прости́ться с ва́ми, друзья́ мои́, прости́ться со свои́м столо́м и — айда́. (*Укла́дывает картогра́ммы в па́пку.*)

Мари́на. И чего́ засуети́лся? Сиде́л бы.

Астров. Нельзя́.

Войни́цкий (*пи́шет*). «И ста́рого до́лга оста́лось два се́мьдесят пять . . .»

(*Вхо́дит рабо́тник.*)

Рабо́тник. Михаи́л Льво́вич, ло́шади по́даны.

Астров. Слы́шал. (*Подаёт ему́ апте́чку, чемода́н и па́пку.*) Вот, возьми́ э́то. Гляди́, чтобы не помя́ть па́пку.

Рабо́тник. Слу́шаю. (*Ухо́дит.*)

Астров. Ну-с . . .* (*Идёт прости́ться.*)

Со́ня. Когда́ же мы уви́димся?

Áстров.　Не ра́ньше ле́та, должно́ быть.　Зимо́й едва́
ли . . .　Само́ собо́ю, е́сли случи́тся что, то да́йте знать —
прие́ду.　(*Пожима́ет ру́ки.*)　Спаси́бо за хлеб, за соль,*
за ла́ску . . . одни́м сло́вом, за всё.　(*Идёт к ня́не и целу́ет
её в го́лову.*)　Проща́й, ста́рая.

Мари́на.　Так и уе́дешь без ча́ю?

Áстров.　Не хочу́, ня́нька.

Мари́на.　Мо́жет, во́дочки вы́пьешь?*

Áстров (*нереши́тельно*).　Пожа́луй . . .　(*Мари́на
ухо́дит.*)　(*По́сле па́узы.*)　Моя́ пристяжна́я что́-то за-
хрома́ла.　Вчера́ ещё заме́тил, когда́ Петру́шка води́л
пои́ть.

Войни́цкий.　Перекова́ть на́до.

Áстров.　Придётся в Рожде́ственном зае́хать к куз-
нецу́.　Не минова́ть.　(*Подхо́дит к ка́рте Áфрики и
смо́трит на неё.*)　А, должно́ быть, в э́той са́мой Áфрике
тепе́рь жари́ща* — стра́шное де́ло!*

Войни́цкий.　Да, вероя́тно.

Мари́на (*возвраща́ется с подно́сом, на кото́ром рю́мка
во́дки и кусо́чек хле́ба*).　Ку́шай.　(*Áстров пьёт во́дку.*)
На здоро́вье, ба́тюшка.　(*Ни́зко кла́няется.*)　А ты бы
хле́бцем закуси́л.

Áстров.　Нет, я и так . . .　Зате́м всего́ хоро́шего!
(*Мари́не.*)　Не провожа́й меня́, ня́нька.　Не на́до.　(*Он
ухо́дит.　Со́ня идёт за ним со свечо́й, что́бы проводи́ть его́;
Мари́на сади́тся в своё кре́сло.*)

Войни́цкий (*пи́шет*).　«2-го февраля́ ма́сла по́стного
20 фу́нтов . . .　16 февраля́ опя́ть ма́сла по́стного 20
фу́нтов . . .　Гре́чневой крупы́ . . .»

(*Па́уза.　Слы́шны бубе́нчики.*)

Мари́на.　Уе́хал.

(*Па́уза.*)

Со́ня (*возвраща́ется, ста́вит свечу́ на стол*).　Уе́хал . . .

Войни́цкий (*сосчита́л на счётах и запи́сывает*).　Итого́*
. . . пятна́дцать . . . два́дцать пять . . .

(*Со́ня сади́тся и пи́шет.*)

Мари́на (*зева́ет*).   Ох, грехи́ на́ши . . .*

(*Теле́гин вхо́дит на цы́почках, сади́тся у двери́ и ти́хо настра́ивает гита́ру.*)

Войни́цкий (*Со́не, проведя́ руко́й по её волоса́м*).   Дитя́ моё, как мне тяжело́!*   О, е́сли б ты зна́ла, как мне тяжело́!

Со́ня.   Что же де́лать, на́до жить!   (*Па́уза.*)   Мы, дя́дя Ва́ня, бу́дем жить.   Проживём дли́нный, дли́нный ряд дней, до́лгих вечеро́в; бу́дем терпели́во сноси́ть испыта́ния, каки́е пошлёт нам судьба́; бу́дем труди́ться для други́х и тепе́рь и в ста́рости, не зна́я поко́я, а когда́ насту́пит наш час, мы поко́рно умрём и там за гро́бом мы ска́жем, что мы страда́ли, что мы пла́кали, что нам бы́ло го́рько,* и Бог сжа́лится над на́ми, и мы с тобо́ю, дя́дя, ми́лый дя́дя, уви́дим жизнь све́тлую, прекра́сную, изя́щную, мы обра́дуемся и на тепе́решние на́ши несча́стья огляне́мся с умиле́нием, с улы́бкой — и отдохнём. Я ве́рую, дя́дя, ве́рую горячо́, стра́стно . . .   (*Стано́вится перед ним на коле́ни и кладёт го́лову на его́ ру́ки; утомлён- ным го́лосом.*)   Мы отдохнём!   (*Теле́гин ти́хо игра́ет на гита́ре.*)   Мы отдохнём!   Мы услы́шим а́нгелов, мы уви́дим всё не́бо в алма́зах, мы уви́дим, как всё зло земно́е, все на́ши страда́ния пото́нут в милосе́рдии, кото́рое напо́лнит собо́ю весь мир, и на́ша жизнь ста́нет ти́хою, не́жною, сла́дкою, как ла́ска.   Я ве́рую, ве́рую . . . (*Вытира́ет ему́ платко́м слёзы.*)   Бе́дный, бе́дный дя́дя Ва́ня, ты пла́чешь . . .   (*Сквозь слёзы.*)   Ты не знал в свое́й жи́зни ра́достей, но погоди́, дя́дя Ва́ня, погоди́ . . . Мы отдохнём . . .   (*Обнима́ет его́.*)   Мы отдохнём!

(*Стучи́т сто́рож. Теле́гин ти́хо найгрыва́ет; Мари́я Васи́льевна пи́шет на поля́х брошю́ры; Мари́на вя́жет чуло́к.*)

Со́ня.   Мы отдохнём!

Занаве́с ме́дленно опуска́ется

NOTES

ДÉЙСТВИЕ ПÉРВОЕ

Page

17 **Кýшай, бáтюшка:** 'have some tea, dear'; кýшать, 'to eat,' occasionally 'to drink.'

вóдочки вы́пьешь: 'you'll drink *some* vodka.'

К томý же дýшно: 'besides, it's close.'

Дай Бог пáмять: 'let me think' (*lit.* 'Lord grant me memory').

Сóнечкина: 'Sonia's.'

покóю не знáю: 'I know no rest'; покóю is partitive genitive used instead of покóя.

бои́шься, как к больнóму не потащи́ли: 'you are afraid you will be dragged away to a patient.'

Как не постарéть?: (=как не постарéл бы) 'how can one not grow old?'

18 **Поглупéть-то я ещё не поглупéл:** An idiomatic expression. 'Grow stupid? No, I've most certainly not grown stupid.'

Вот рáзве тебя́ тóлько люблю́: 'I love perhaps only you'; рáзве—тóлько, *adv.* 'except perhaps.'

вели́кий пост: 'Lent' (*lit.* great fast).

мáковой роси́нки во ртý нé было: 'did not have a bite of food'; *lit.* 'did not have as much as a poppy-seed in my mouth.'

он возьми́ и умри́: idiomatic use of взять plus conjunction plus another verb (both verbs being in the imperative) to express sudden or unexpected action; *cp.* English 'he upped and died.'

И когдá вот не нýжно: 'and just when it was absolutely unnecessary'; вот is used here simply for emphasis.

жизнь вы́билась из колéй: 'life has been turned upside down' (колея́, 'a rut'; вы́бить из колéй, 'to unsettle').

рáзные кабули́: 'all sorts of spiced dishes.'

19 **я и Сóня рабóтали — моё почтéние:** 'Sonia and I worked wonderfully'; моё почтéние, *lit.* 'my compliments' is used here in the sense of something wonderful, unusual.

Поря́дки!: 'What a way to live!' (поря́док, 'order'; *in pl.* 'customs, usages').

Вот и тепéрь: 'so now too.'

вáше превосходи́тельство: 'your excellency'; see note to page 20.

господá: 'ladies and gentlemen' (*pl. of* господи́н).

Стáло быть: 'so that.'

20 **чего ещё нам?**: 'what more do we want?'

старый хрен: 'old grumbler' (хрен, *lit.* 'horse-radish').

«Напрягши ум . . . не слышим»: three lines from the beginning of Ivan Dmitriev's satire, «Чужой Толк» ('Other People's Views') written in 1794.

жить в городе ему не по карману: 'he cannot afford to live in town.'

стал его превосходительством: 'became His Excellency.' In Tsarist Russia university professors were civil servants of the highest rank and had to be addressed as 'Your Excellency.'

Но ты возьми вот чтó: 'But consider (*lit.* take) this.'

21 **переливает из пустого в порожнее**: 'he has been wasting his time' (*lit.* 'he is pouring from an empty vessel into an emptier one.')

к сожалению: 'unfortunately.'

Ну, вот, право: 'well, really.'

Заткни фонтан: *coll.* 'shut up' (*lit.* 'stop the fountain').

22 **немного погодя**: 'after a while, a little later.'

нянечка: 'nurse, nanny' (*dim.* of няня).

сломя голову: 'at breakneck speed, like mad.'

впервой: 'for the first time.'

quantum satis: 'as much as I need.'

Вы, небось, не обедали?: 'I don't suppose you've had your dinner?' (небось—*from* не бойся—'don't be afraid,' is used to mean 'probably.')

Нет-с: see next note.

Виноват-с: 'sorry, ma'am' (-с, abbreviation of сударь (*m.*), 'sir,' or сударыня, 'madam.')

23 **крёстненький**: 'darling godfather' (*dim.* of крёстный отец, 'godfather.')

Пора бы уж и кончить: 'one would think it was time to stop.'

светлая личность: 'a person of enlightened views.'

24 **проворонить время**: 'to fritter away the time.'

perpetuum mobile: 'perpetual motion.'

Покорно благодарю: *iron.* 'thank you very much.'

25 **чёрт подери**: 'the devil take it, damn it.'

где уж: 'afraid not.'

притащи-ка мне: 'please get me' (-ка is emphatic).

любезный: 'my man.'

У Островского: Nikolai Ostrovsky (1823–1886), Russian realist playwright.

ну, честь имею: 'well, goodbye' (short for честь имею кланяться, 'I have the honour to bid you goodbye.')

27 **мне пора**: 'it's time I was going.'

в конце концов: 'after all.'

Кака́я вам лень жить!: 'you are too lazy to live!'

вам не жаль: 'you don't care' (жаль, adverb formed from
жале́ть 'to be sorry for.')

ДЕЙСТВИЕ ВТОРОЕ

29 мне сни́лось: 'I dreamt.'

поищи́: imperative of поиска́ть, 'to look for,' 'seek.'

Ба́тюшкова: F. D. Batyushkov (1857–1920); Russian literary
historian and critic.

Бою́сь, как бы у меня́ не́ было: 'I'm afraid I may get it.'

Чёрт бы её побра́л: 'the devil take it, damn it.'

30 Недо́лго мне ещё придётся тяну́ть: 'I shan't last very much
longer' (тяну́ть, to drag out; жизнь is understood).

и ничего́: 'and no one objects' (*lit.* 'and nothing.')

ни с того́, ни с сего́: 'for no ascertainable reason.'

31 на что мне твой А́стров?: 'What do I want your Astrov for?'

с э́тим юро́дивым: 'with this madman' (юро́дивый, 'saintly
fool,' in the Orthodox church, an ascetic reputed to have the gift of
prophecy).

Кото́рый тепе́рь час? Пе́рвый: 'What time is it? *About*
one o'clock.'

Во́на: 'There!' (exclamation of surprise).

Он меня́ заговори́т: 'He will tire me to death with his talk.'

32 Не о́чень-то ля́жешь: 'You can't very well lie down'.

Ста́рые, что́ ма́лые: 'the old are just like children.'

све́тик: 'darling' (*dim.* of свет, 'light').

34 выжима́ть после́дние со́ки: 'to squeeze the last penny (*lit.*
juices) out of.'

по́стное ма́сло: 'Lenten oil.'

35 навеселе́: 'tipsy.'

«Ходи́ ха́та, ходи́ печь, хозя́ину не́где лечь»: a folk song:
'Dance (*lit.* walk about) cottage, dance stove, the master has no-
where to lie down.'

Ва́жный до́ждик: 'a grand drop of rain.'

36 Идёть?: (slang for идёт) 'all right?' (*lit.* 'it goes?')

я́сные со́колы: *lit.* 'bright falcons'; a term used in Russian folk
lyrics, but here used ironically for 'nice fellows.'

не к лицу́: 'does not suit you.'

не при чём: 'have nothing to do with it.'

вы́биться из сил: 'to become exhausted.'

37 (мне) тяжело́, не хорошо́: 'I feel miserable, unhappy.'

Что прика́жете?: 'What can I do for you?' (*lit.* 'what do you
order?').

Ему́ вре́дно: 'it is bad for him' (вре́дный, 'harmful').

Решено́ и подпи́сано : 'signed and delivered' (the past participles of реши́ть, 'to decide' and подписа́ть 'to sign'; *lit.* 'it has been decided and signed').

кра́ем : 'a little bit' (adverbial phrase from край, 'edge').

У ва́шего отца́ тяжёлый хара́ктер : 'your father is a difficult man.'

Мо́жно ? : 'May I ?'

весь ушёл в : 'can't think of anything but.'

38 **Что ма́чеха ? :** 'What about my stepmother ?'

спо́ра нет : 'there's no denying it' (*lit.* 'there's no argument about it').

судьба́ бьёт меня́, не переставая : 'fate is ceaselessly hitting out at me.'

по ста́рой па́мяти : 'for old times' sake' (*lit.* 'for memory's sake').

про́сто-на́просто : 'simply.'

поумне́е и покрупне́е : 'a little more intelligent and a little stronger.'

39 **не идёт к вам :** 'does not become you.'

походи́ть на : 'to be like, to resemble.'

Не на́до, не на́до : 'you mustn't, you mustn't.'

Так : 'Oh, nothing' (*lit.* 'so').

40 **пожа́ть плеча́ми :** 'to shrug one's shoulders.'

как ни ка́к : 'anyway.'

Софи́! : 'Sophie' (Sonia is the Russian pet name for Sophia; by addressing Sonia as Sophie Yelena tries to express her desire to be on closer terms with her, though she is still not sure enough of Sonia's attitude towards herself to address her by her pet name).

ду́ться на меня́ : 'to be angry (*lit.* sulky) with me.'

По́лноте . . . : 'really' (here used remonstratively in the sense: 'don't you think it's time we made it up ?').

41 **Дава́йте вы́пьем брудерша́фт :** 'let's pledge fraternity' (from the German *Bruderschaft*, 'brotherhood'). To do this, two people would drink out of the same glass and thereafter address each other in the familiar 'thou' instead of the second person plural.

со́вестно бы́ло : 'I felt ashamed, I knew I was wrong.'

Ничего́, э́то я так : 'Oh, nothing; I just can't help it.'

Ну, бу́дет, бу́дет . . . : 'There, there . . .'

я вы́шла (за́муж) по расчёту . . . : 'I married for selfish reasons.'

Скажи́ мне по со́вести : 'tell me honestly' (совесть *f.* 'conscience').

42 **широ́кий разма́х :** 'wide sweep, bold initiative.'

Со́бственно говоря́ : 'strictly speaking.'

43 **Е́сли он ничего́ :** 'If he does not object.'

ДЕЙСТВИЕ ТРЕ́ТЬЕ

44 Полюбу́йтесь : 'Look at her!' (любова́ться/полюбова́ться, 'to admire').

в иде́йных рома́нах : 'in novels dealing with ideas' (*i.e.* social and political ideas).

ни с того́, ни с сего́ : 'for no reason at all.'

не нахо́дишь себе́ ме́ста : 'you don't know what to do with yourself' (*lit.* 'you can't find a place for yourself').

45 влюби́тесь . . . по са́мые у́ши : 'fall head over ears in love.'

булты́х : 'splash' (onomatopœic word).

рука́ми развели́ : 'throw up our hands in horror' (разводи́ть рука́ми, 'to spread out one's hands in a gesture of surprise or dismay').

46 пошли́ мне си́лы : 'send me strength.'

Откла́дывать в до́лгий я́щик : 'to shelve, put off for a long time.'

47 Что ты ? : 'What's that?' (expressing surprise or bewilderment).

Ка́жется, я сама́ увлекла́сь немно́жко : 'I believe I was a little in love (carried away), myself.'

Улете́ть бы : 'I wish I could fly away.'

48 дере́вни не зна́ю : 'I don't know anything about country life.'

час-друго́й : 'an hour or two.'

щёлкают на счётах : 'click on their counting frames' (счёты, 'abacus').

пти́цы вся́кой была́ си́ла : 'there was a "power" of all sorts of birds.'

ви́димо-неви́димо : 'in large numbers.'

раско́льничьи скиты́ : 'Old Believers' hermitages' (the Old Believers were a religious sect which split from the Orthodox Church in the seventeenth century).

двор : 'homestead' rather than the more normal meaning of 'courtyard.'

49 ничего́ подо́бного! : 'nothing of the sort.'

без обиняко́в : 'without beating about the bush' (обиня́к, 'dark hint').

50 не де́лайте удивлённого лица́ : 'don't look surprised.'

ста́рый воробе́й : 'an old bird' (*lit.* 'sparrow').

На́-те : 'Here, take it!' (abbreviated form of на тебе́).

52 Голова́ что́-то того́ : 'my head's a bit . . .' (того́ is used when the speaker is uncertain or unwilling to express something).

куда́ ни шло : 'come what may.'

53 Вам . . . ты : Serebryakov is surprised to hear his brother-in-law addressing him so formally in the plural and not in the second person singular.

Я пригласи́л вас, господа́, что́бы объяви́ть вам, что к нам

éдет ревизóр: 'I have asked you to come here, gentlemen, in order to inform you that the Government Inspector is going to visit us' (an example of Serebryakov's academic humour—he quotes the first sentence of the Mayor's speech to the civil servants in Gogol's comedy *The Government Inspector*).

шýтки в стóрону: 'joking apart.'

manet omnes una nox: 'one night (*i.e.* death) awaits us all' (from Horace, *Odes* I, 28, 15).

все мы под Бóгом хóдим: 'We are all in God's hands' (*lit.* 'we all walk under God').

в срéднем размéре: 'on the average.'

54 **Жан**: 'Jean' (the French form of Ивáн).

55 **вы́гнать в шéю**: 'to throw out neck and crop.'

почём же я знал?: 'how should I know?'

56 **не стóят грошá мéдного**: 'aren't worth a brass farthing' (грош, 'half-kopeck').

57 **из меня́ мог бы вы́йти Шопенгáуэр**: 'I could have been a Schopenhauer' (German philosopher, 1788–1860).

Я говорю́ не то: 'I am not putting it well.'

объясни́сь с ним . . .: 'talk it over with him, have a talk with him.'

58 **сирóтка**: 'little orphan.'

Лúпового чайкý: 'Some of that nice lime tea' (чайкá is a diminutive of чай).

чтоб вам пýсто (бы́ло): 'drat you!'

У, чтóб тебя́!: 'Oh, I wish you.'

чёрт бы побрáл: see note to page 25.

ей дýрно: 'she feels faint.'

ДÉЙСТВИЕ ЧЕТВЁРТОЕ

59 **Напужáлись**: 'They got scared' (напужáться is a colloquial form of напугáться).

Налегкé: 'without luggage, travelling light.'

сюжéт, достóйный кúсти Айвазóвского: 'a subject worthy of the brush of Ayvasovsky' (Ivan Ayvasovsky (1817–1900), a famous Russian *marine* painter).

Глазá бы мои́ не гляде́ли: 'I wish I had never seen it.'

60 **Давнéнько**: 'for quite a long while.'

А ты без внимáния: 'Why, you oughtn't to pay any attention.'

Грехú! 'What goings-on!' (*lit.* 'sins').

Сию́ минýту: 'at once.'

61 **Разыгрáть такóго дуракá**: 'to have made (*lit.* played) such a fool of myself.'

Пришлá охóта стреля́ть: 'if you feel like shooting.'

Дéлает нос: 'cocks a snook.'

Шут горо́ховый : 'clown, buffoon.'

62 Э, ну́ тебя́! : 'Oh, you!'

ты мне зубо́в не загова́ривай : 'don't you try to put me off' (загова́ривать зу́бы 'to fool with fine words').

во что́ бы то ни ста́ло : 'at any price, at all costs.'

С меня́ же дово́льно и того́, что : 'it will be quite enough for me to . . .'

63 Тепе́рь мо́жно и в путь : 'now I too can be on my way.'

64 на ло́не приро́ды : 'in the open air' (*lit.* 'in the lap of nature').

Не помина́йте ли́хом : 'don't think badly of me' (ли́хо, 'evil').

65 вам . . . не сдоброва́ть : 'you will not get off so easily.'

Finita la comedia : 'it's all over' (*lit.* 'the play is finished' from Italian).

Кто ста́рое помя́нет, тому́ глаз вон : 'let byegones be bye-gones' (*lit.* 'he who mentions the past, may he lose an eye').

66 заодно́ : 'at the same time.'

Его́ тепе́рь сюда́ и калачо́м на зама́нишь : 'you won't get him to come here now for love or money' (*lit.* 'you won't entice him here, even for a fancy-loaf').

67 Ба́иньки захоте́лось : 'I want to go bye-byes.'

Ну-с : 'Well now, sir' (expressing a wish to get over something un-pleasant).

68 хлеб . . . соль : 'hospitality' (*lit.* 'bread salt').

во́дочки вы́пьешь : see note to page 17.

жари́ща : 'scorching heat.'

стра́шное де́ло! : 'terrific!'

Итого́ : 'altogether, that makes . . .'

69 Ох, грехи́ на́ши . . . : 'mercy on us' (*lit.* 'oh, our sins').

как мне тяжело́! : 'I am so miserable!'

нам бы́ло го́рько : 'we had a bad (*lit.* bitter) time.'

SELECT VOCABULARY

The change of stress and irregular word formations are indicated between brackets.

List of Abbreviations

a. = adjective
acc. = accusative
adv. = adverb
conj. = conjunction
dat. = dative
dim. = diminutive
f. = feminine
gen. = genitive
imperf. = imperfective
instr. = instrumental

interj. = interjection
intrans. = intransitive
m. = masculine
n. = neuter
parenth. = parenthesis
perf. = perfective
pl. = plural
prep. = prepositional
trans. = transitive

ад, *m.* hell
айда́! heigh-ho!
алле́я, *f.* avenue (of trees)
алма́з, *m.* diamond
апте́ка, *dim.* **апте́чка,** *f.* medicine-chest
аресто́вывать/арестова́ть (-ту́ю), to arrest
база́р, *m.* market
ба́ночка, *f.* small jar
ба́рин, *m.* master
ба́ста! *interj.* that's enough! (from Italian 'Basta!')
ба́тюшка, *m.* my dear fellow; my dear sir
бац! bang!
беда́: что за беда́? what does it matter?
бе́дный, *a.* poor
бежа́ть (бегу́, бежи́шь, бегу́т), *imperf.* to run away
безвку́сный, *a.* insipid
безвозвра́тно, *adv.* irretrievably

безда́рность, *f.* lack of talent
бездоро́жье, *n.* lack of good roads
безнра́вственный, *a.* immoral
безобра́зный, *a.* ugly, hideous
безрассу́дный, *a.* reckless, rash
бере́чь (берегу́, бережёшь, берегу́т), *imperf.* to protect
бес, *m.* demon
беспоко́иться, *imperf.* to worry
бессерде́чие, *n.* heartlessness
бессозна́тельно, *adv.* involuntarily
бить (бью, бьёшь), *imperf.* to hit, strike
бла́го, *n.* welfare
благогове́ние, *n.* reverence
благодари́ть/поблагодари́ть, to thank; **благодаря́** (+*dat.*) thanks to
благода́рный, *a.* grateful
благоро́дный, *a.* noble, honourable

80

благоро́дство, *n.* nobility

блаже́нство, *n.* bliss

блаже́нствовать (-вую, -вуешь), *imperf.* to be in a state of bliss

блеск, *m.* brilliance

Бог : сла́ва Бо́гу! Praise the Lord! **Бо́га ра́ди,** for God's sake

Бо́же (мой)! Oh Lord!

бо́ком, *adv.* sideways, from the side

боле́ть (-е́ю, -е́ешь), *imperf.* to be ill

боло́то, *n.* bog, swamp

боль, *f.* pain

боро́ться (борю́сь, бо́решься), *imperf.* to contend, fight, struggle

борьба́, *f.* struggle; strife

боя́ться, *imperf.* to fear, be afraid of (+*gen.*)

брак, *m.* marriage

брани́ть, *imperf.* to abuse; reprove

бра́тец (бра́тца), *m.* friend, comrade

бра́ться (беру́сь, берёшься), *imperf.* to undertake

броди́ть (брожу́, бро́дишь), *imperf.* to wander

бро́нзовый, *a.* bronze

брошю́ра, *f.* pamphlet

брюзга́, *m. & f.* grumbler

брюзжа́ть (брюзжу́, брюзжи́шь), *imperf.* to grumble

бубе́нчик, *m.* bell (on harness)

буди́ровать (-рую, -руешь), *imperf.* to sulk

буди́ть (бужу́, бу́дишь), *imperf.* to wake

бука́шка, *f.* small insect

бу́ква, *f.* letter

бултых! *interj.* plop!

бурса́к (*gen.* бурсака́), *m.* semi-narist, divinity student

быва́ть, *imperf.* to be (frequently), to frequent

ва́рвар, *m.* barbarian

ва́фля, *f.* waffle

вбега́ть, *imperf.* to rush in

вдова́, *f.* widow

вду́маться, *perf.* to go into something (deeply)

ведь, *parenth.* you see, you know

великоду́шный, *a.* generous

велича́вый, *a.* majestic, lofty

ве́рить, *imperf.* to trust, believe in (+*dat.*)

ве́рность, *f.* faithfulness

ве́рный, *a.* true, faithful

ве́ровать (-рую, -руешь), *imperf.* to believe (in something)

верста́, *f.* verst (⅔ of a mile)

весы́, *pl.* scales

ве́тка, *f.* branch

взаи́мность, *f.* reciprocity; return (of feelings)

взаме́н, *prep.* instead of, in the place of (something)

взволно́ванный, *a.* agitated, touched with emotion, emotionally stirred

взгляну́ть (-гляну́, -гля́нешь), *perf.* to glance, look

вздор, *m.* nonsense

вздо́рный, *a.* absurd, silly

вздох, *m.* sigh

вздохну́ть : *see* вздыха́ть

вздра́гивать, *imperf.* to shudder, wince; to start

вздыха́ть/вздохну́ть (-ну́, -нёшь), to breathe again

вид, *m.* view, prospect; appearance

виде́ние, *n.* vision

ви́деться (ви́жусь, ви́дишься)/**уви́деться**, to see each other, one another

виновáт, *interj.* sorry

виновáтый, *a.* guilty, to blame

владéть (-éю, -éешь), *imperf.* to control (+*instr.*)

власть, *f.* power

влияние, *n.* influence

влюбиться (влюблюсь, влюбишься), *perf.* to fall in love with (в+*acc.*)

вмéсте, *adv.* together

вмéсто, *prep.* instead of (+*gen.*)

внимáние, *n.* attention, consideration

внушáть, *imperf.* to inspire

вóбла, *f.* Caspian roach (small fish)

вó-время, *adv.* at the right time

вóвсе, *adv.* at all

водиться (вожусь, вóдишься), *imperf.* to inhabit (*of animals*)

водянóй, *m.* water-sprite

возбудимый, *a.* sensitive, responsive, roused, alert

возвращáть/возвратить (-ащу, -атишь), to return (*trans.*)

возвращáться/возвратиться (-ащусь, -áтишься), to return (*intrans.*)

вóздух, *m.* air

возиться (вожусь, вóзишься), *imperf.* to be moving about; to be busy

вóзле, *adv.* nearby

вол (*gen.* волá), *m.* ox, bull

волнéние, *n.* agitation, emotion

волновáться (-нуюсь, -нуешься), *imperf.* to get agitated

вóлость, *f.* small rural area

вóля, *f.* will

вонь, *f.* stench

вообщé, *adv.* generally

вопиющий, *a.* scandalous, crying (shame)

воробéй (*gen.* воробья), *m.* sparrow; **стáрый воробéй,** old hand

ворóна, *f.* crow

воротник (*gen.* воротникá), *m.* collar

ворчáть (ворчу, ворчишь), *imperf.* to grumble

воспитáние, *n.* education, upbringing

вповáлку, *adv.* side by side, in rows

вполнé, *adv.* fully, quite

впрóчем, *conj.* however

враг (*gen.* врагá), *m.* enemy

враждá, *f.* enmity

врéдный, *a.* harmful, bad

всегдáшний, *a.* usual, wonted

всё-таки, *adv.* all the same, for all that

вскрикивать, *imperf.* to scream

вскружить, *perf.* to turn

вскрывáть, *imperf.* to carry out a post-mortem

вслед, *prep.* after, following

вслéдствие, *prep.* as a result of

вспоминáть, *imperf.* to remember

вспухнуть (-ну, -нешь), *perf.* to blow out, to swell

встречáть/встрéтить (встрéчу, встрéтишь), to meet

всякий, *a.* every

выгонять/выгнать (выгоню, выгонишь) to throw out, to drive out

выдаться (выдастся; выдадутся), *perf.* to turn out

выживáть/выжить (выживу, выживешь), to survive

выжимáть, *imperf.* to squeeze out

выйти : *see* выходить

выносить (выношу, выносишь), *imperf.* to bear, stand, endure

выписывать, *imperf.* to send for

выпить (выпью, выпьешь), *perf.* to drink

вы́платить (вы́плачу, вы́-
платишь), *perf.* to pay off

вы́разить (вы́ражу, вы́ра-
зишь), *perf.* to express

вы́расти (вы́расту, вы́растешь),
perf. to grow

вырожде́ние, *n.* degeneration

вы́ручить, *perf.* to gain

вы́селок (*gen.* вы́селка), *m.*
rural settlement

вы́сказаться (-ажусь, -ажешь-
ся), *perf.* to tell, give one's
opinion

вы́спаться (-сплюсь, -спишь-
ся), *perf.* to have a long sleep

вы́стрел, *m.* shot

высыла́ть, *imperf.* to send (out)

вытира́ть, *imperf.* to wipe

выходи́ть (-хожу́ -хо́дишь)/
вы́йти (-йду, йдешь), to
result; come out **вы́йти за** +
acc. to marry (of woman);
вы́йти в отста́вку, to retire

вяза́ть (вяжу́, вя́жешь), *imperf.*
to knit

вя́ло, *adv.* sluggishly

га́лка, *f.* jackdaw

га́лстук, *m.* tie

гвоздь (*gen.* гвоздя́), *m.* nail

гениа́льный, *a.* of genius

герр, Herr

ги́бкий, *a.* supple, versatile

ги́бнуть (-ну, -нешь), *imperf* to
perish

гла́дить (гла́жу, гла́дишь), *imperf.* (**по-** + *dat.*) to stroke

глубина́, *f.* depth

глуха́рь (*gen.* глухаря́), *m.*
capercaillie

гляде́ть (гляжу́, гляди́шь), *imperf.* to look

гнать (гоню́, го́нишь), *imperf.*
to drive

гнев, *m.* anger

гне́вно, *adv.* angrily

гнило́й, *a.* rotten, putrid

гнить (гнию́, гниёшь), *imperf.*
to rot

голо́дный, *a.* hungry

голу́бка, голу́бушка, *f.,* **го-
лу́бчик,** *m.* my dear, darling

горди́ться (горжу́сь, горди́шь-
ся), *imperf.* (+ *instr.*), to be
proud of

го́рдость, *f.* pride

горева́ть (горю́ю, горю́ешь),
imperf. to grieve

горо́х, *m.* peas

горячо́, *adv.* warmly, dearly;
fervently

грацио́зный, *a.* graceful

гре́чневый : гре́чневая крупа́,
buckwheat meal

гре́шница, *f.* sinner (*woman*)

гроб, *m.* coffin; **за гро́бом,** on
the other side of the grave

гроза́, *f.* thunderstorm

грози́ть (грожу́, грози́шь), *imperf.* to threaten

гром, *m.* thunder

грома́дный, *a.* enormous, huge

грош (*gen.* гроша́), *m.* half-
kopeck

грубова́тый, *a.* rather coarse

гру́бый, *a.* coarse, rough

гру́стный, *a.* sad, mournful

гря́зный, *a.* sordid; dirty

грязь, *f.* filth, dirt

губи́ть (гублю́, гу́бишь), *imperf.* to ruin, waste

гуде́ть (гужу́, гуди́шь), *imperf.*
to hum, buzz

гуса́к (*gen.* гусака́), *m.* gander

гу́сто, *adv.* thickly, densely

да́веча, *adv.* lately, just now, of
late

да́ром, *adv.* for nothing, to no purpose

да́ча, *f.* country cottage

две́ри (*gen.* двере́й), *pl.* doorway

дева́ть, *imperf.* to put (something somewhere)

дева́ться, *imperf.* to disappear; to hide, take refuge

де́йствие, *n.* act; action

де́йствующие ли́ца, dramatis personae, characters

де́ло (*pl.* дела́), *n.* business, work

делика́тный, *a.* delicate; polite

дереве́нский, *a.* country, rural

деревцо́, *n.* sapling

держа́ть (держу́, де́ржишь), *imperf.* to hold

десяти́на, *f.* Russian measure of land, approximately 2·7 acres

дета́ль, *f.* detail

де́точки, *pl.* little children

де́тство, *n.* childhood

ди́кий, *a.* wild, savage

дифтери́т, *m.* diptheria

дичь, *f.* game (birds); nonsense

добива́ться/доби́ться (добьюсь, добьёшься), to strive for, aim at

добросо́вестный, *a.* conscientious

дово́льный, *a.* satisfied

догада́ться, *perf.* to guess, think of

дога́дка, *f.* conjecture

доеда́ть, *imperf.* to finish eating

дожида́ться, *imperf.* to wait for

долг (*pl.* долги́), *m.* debt; duty

домово́й, *m.* house-spirit

допро́с, *m.* examination, interrogation

допроси́ть (допрошу́, допро́сишь), *perf.* to question, examine

допуска́ть/допусти́ть (допущу́, допу́стишь), to admit, allow

доро́жный, *a.* travelling

доса́да, *f.* vexation, annoyance; grief, sadness

доса́дный, *a.* annoying

доста́ть (доста́ну, доста́нешь), *perf.* to take out

досто́йный, *a.* worthy of (+ *gen.*)

дохо́д, *m.* income

дрема́ть (дремлю́, дре́млешь), *imperf.* to doze

дрова́, *pl.* logs, firewood

дрожа́ть (дрожу́, дрожи́шь), *imperf.* to tremble; to shiver

дружо́чек, *m.* my dear chap

дря́зги, *pl.* squabbles; worries

ду́ра, *f.* fool

дурно́й, *a.* bad

ду́ться (ду́юсь, ду́ешься), *imperf.* to be sulky with someone (на + *acc.*)

душе́вный, *a.* warm-hearted

души́ть (душу́, ду́шишь), *imperf.* to stifle

ду́шно, *impers. predic.* it is close (*of weather*); **мне ду́шно,** I feel stifled

дыша́ть (дышу́, ды́шишь), *imperf.* to breathe (+ *instr.*)

дьячо́к, *m.* sexton, sacristan

едва́ ли *adv.* (it is) doubtful

ежего́дно, *adv.* every year

ей-Бо́гу! by heavens! oh Lord!

есте́ственно, *adv.* naturally

жа́ба: **грудна́я жа́ба,** angina pectoris (heart disease)

жа́дно, *adv.* greedily

жале́ть (-е́ю, -е́ешь), *imperf.* to be sorry, to regret

жа́лкий, *a.* pitiful

жа́лованье, *n.* salary

жа́ловаться (-луюсь, -луешься), *imperf.* to complain

жаль, *f.* pity; (+*dat. of subject*) to pity

жать (жму, жмёшь), *imperf.* to clutch

ждать (жду, ждёшь), *imperf.* to wait for

жела́ние, *n.* desire

жела́ть, *imperf.* to wish, to want

жени́ться (женю́сь, же́нишься), *imperf. & perf.* to marry (of man)

же́ртва, *f.* victim, sacrifice

же́ртвовать (-вую, -вуешь), *imperf.* to sacrifice

жечь (жгу, жжёшь), *imperf.* to burn

жи́вопись, *f.* painting

жи́ла, *f.* vein

жиле́т, *m.* waistcoat

жили́ще, *n.* dwelling, home

жужжа́ть (жужжу́, жужжи́шь), *imperf.* to buzz, to drone

забавля́ться, *imperf.* to amuse oneself

забро́сить (-о́шу, -о́сишь), *perf.* to abandon

забыва́ть/забы́ть (забу́ду, забу́дешь), to forget

забыва́ться/забы́ться (забу́дусь, забу́дешься), to forget oneself

заве́довать (-дую, -дуешь), *imperf.* to manage, be in charge of

зави́довать (-дую, -дуешь), *imperf.* to envy, be envious

за́висть, *f.* envy

заво́д, *m.* works

зага́дывать, *imperf.* to conjecture

заглуши́ть, *perf.* to stifle

загляну́ть (-яну́, -я́нешь), *perf. of* загля́дывать, to look in

загова́ривать/заговори́ть, to start to speak; to talk someone's head off; **загова́ривать зу́бы,** to distract (from the main thing); to talk someone into something

загора́живать, *imperf.* to bar, block

заде́рживать/задержа́ть (задержу́, заде́ржишь), to hold, keep (back)

задохну́ться (-ну́сь, -нёшься), *perf. of* задыха́ться, to suffocate

задрема́ть (-емлю́, -е́млешь), *perf.* to doze off

заеда́ть/зае́сть (-е́м, -е́шь, -е́ст, -еди́м, -еди́те, -едя́т), to eat up

зажига́ть, *imperf.* to light

заклина́ть, *imperf.* to adjure, to charge on oath

зако́н, *m.* law

закрыва́ть/закры́ть (-кро́ю, -кро́ешь), to shut; to cover

закру́чивать, *imperf.* to twirl, twist

заку́сывать/закуси́ть (-кушу́, -ку́сишь), to have a snack, to have a bite

замеча́ние, *n.* remark, observation

замеча́тельный, *a.* remarkable,

замеча́ть/заме́тить (-ме́чу, -ме́тишь), to notice

замолча́ть (-чу́, -чи́шь), *perf.* to stop speaking, be quiet

заму́чить, *perf.* to torture

заму́читься, *perf.* to suffer

за́навес, *m.* curtain (*in theatre*)

занима́ть/заня́ть (займу́, займёшь), to occupy

занима́ться, *imperf.* to occupy oneself

заодно́, *adv.* at the same time, together

запи́сывать, *imperf.* to note down

запла́кать (-а́чу, -а́чешь), *perf.* to start crying

запряга́ть/запря́чь (-ягу́, -яжёшь), to harness

запусти́ть (-ущу́, у́стишь), *perf.* to neglect

зараба́тываться/зарабо́таться, to overwork

зарази́тельный, *a.* catching, infectious

зарази́ть (-ажу́, -ази́шь), *perf.* to corrupt, infect

зарапортова́ться (-ту́юсь, -ту́ешься), *perf.* to let one's tongue run away with one

заря́, *f.* dawn

заслужи́ть (-ужу́, -у́жишь), *perf.* to merit, deserve

засте́нчивый, *a.* shy

застрели́ться (-елю́сь, -е́лишься), *perf.* to shoot oneself

засуети́ться (-ечу́сь, -ети́шься), *perf.* to begin to bustle about

затворя́ть/затвори́ть (-орю́, -о́ришь), to close

зато́, *conj.* but, as against that

затыка́ть, *imperf.* to plug, stop up

затя́гивать/затяну́ть (-яну́, -я́нешь), to drag, spin out; to pull; to suck in, drag under (*of marsh*)

захва́тывать/захвати́ть (-ачу́, -а́тишь), to catch, seize; to attract

захоте́ть(ся) (-хочу́, -хо́чешь, -хо́чет, -хоти́м, -хоти́те, -хотя́т), *perf.* to want (suddenly)

захрома́ть, *perf.* to begin to limp

защеми́ть (-млю́, -ми́шь), *perf.* to feel a pang

защища́ть, *imperf.* to defend

звать (зову́, зовёшь), *imperf.* to call (someone something)

зверь, *m.* wild animal

звони́ть, *imperf.* to ring

звоно́к (*gen.* звонка́), *m.* ring (on bell); ringing (of bell)

здоровёхонек, *short a.* in excellent health

здра́вый: здра́вый смысл, common sense

зева́ть, *imperf.* to yawn

зелене́ть (-е́ю, -е́ешь), *imperf.* to grow green, be green

зли́ться (злюсь, зли́шься), *imperf.* to be angry with someone (**на** + *acc.*)

злой, *a.* malicious, hateful, wicked

злость, *f.* fury

значи́тельно, *adv.* considerably

зо́нтик, *m.* umbrella

зять, *m.* son-in-law

идти́ (иду́, идёшь) (+*dat.*), to suit

изба́ (*pl.* и́збы), *f.* peasant's cottage, hut

избавля́ть/изба́вить (-влю, -вишь), to spare

избалова́ть (-лу́ю, -лу́ешь), *perf.* to spoil (child)

изве́стность, *f.* fame

изве́стный, *a.* famous

извиня́ться, *imperf.* to apologise

изво́лить, *perf.* to condescend

изли́шек, *m.* surplus

изложи́ть (-ожу́, -о́жишь), *perf. of* излага́ть, to set out

изменя́ть/измени́ть (-еню́, -е́нишь), to betray, be unfaithful, deceive

изменя́ться/измени́ться (-еню́сь, -е́нишься), to change

изнемога́ть/изнемо́чь, (-могу́,

-мо́жешь, -мо́гут), to be exhausted, worn out

изнеможе́ние, *n.* exhaustion

израсхо́довать (-дую, -дуешь), *perf. of* **расхо́довать** (-дую, -дуешь), to spend

изрека́ть, *imperf.* to utter, pronounce

изыска́ть (-ыщу́, -ы́щешь), *perf.* to seek out

изя́щный, *a.* elegant, refined

име́ние, *dim.* **име́ньишко,** *n.* estate, property

име́ть (-е́ю, -е́ешь), *imperf.* to possess, have

иму́щественные отноше́ния, affairs of property

иму́щество, *n.* property

ина́че, *adv.* otherwise

интересова́ться (-су́юсь, -су́ешься), *imperf.* to be interested

иро́ния, *f.* irony

иска́ть (ищу́, и́щешь), *imperf.* to seek, look for

и́скоса, *adv.* askance

и́скренно, *adv.* sincerely

иску́сственный, *a.* artificial

иску́сство, *n.* art

испаре́ние, *n.* vapour

испо́рченный, *a.* spoilt

испо́шлиться, *perf.* to become completely vulgar

испу́г, *m.* fright

испу́ганный, *a.* frightened

испуга́ться, *perf.* to be frightened

испыта́ние, *n.* test, trial

испы́тывать, *imperf.* to experience

истери́чный, *a.* hysterical

истребля́ть/истреби́ть (-блю́, -би́шь), to destroy

исчеза́ть/исче́знуть (-ну, -нешь), to disappear

ито́г, *m.* sum total

ишь! *interj.* look!

кабине́т, *m.* study

каза́ться (кажу́сь, ка́жешься), *imperf.* to seem, appear

казённый, *a.* state (*adj.*), belonging to the state

казни́ть, *imperf. & perf.* to punish (*lit.* to execute)

кало́ши, *pl.* galoshes

ка́мень, *m.* stone

ка́пля, *f.* drop

капри́зничать, *imperf.* to be capricious

карма́н, *m.* pocket

картогра́мма, *f.* diagrammatic map

каса́ться, *imperf.* to concern, touch; **что каса́ется** (+*gen.*), as to

ка́федра, *f.* chair (*in university*)

кача́ться, *imperf.* to sway

каче́ли, *pl.* swing

кива́ть, *imperf.* to nod (+ *instr.*)

кипе́ть (-плю́, -пи́шь), *imperf.* to boil

кисть, *f.* paintbrush

кла́няться, *imperf.* to bow

класть (кладу́, кладёшь), *imperf.* to lay (down)

клевета́ть (-ещу́, -е́щешь), *imperf.* to slander

клеёнка, *f.* oilcloth

кле́тка, *f.* cage

кли́кать (кли́чу, кли́чешь), *imperf.* to call

кля́сться (кляну́сь, клянёшься), *imperf.* to swear, vow

кля́тва, *f.* oath

кни́жка, *f.* little book

кни́жный, *a.* bookish

кно́пка, *f.* drawing-pin

ко́е-где́, *adv.* here and there, in places

коза́ (*pl.* ко́зы), *f.* goat
колду́нья, *f.* sorceress, witch
колю́чий, *a.* prickly
кома́р (*gen.* комара́), *m.* mosquito, gnat
коне́ц (*gen.* конца́), *m.* end
консервато́рия, *f.* conservatoire
конто́ра, *f.* office
конто́рка, *f.* bureau, writing-desk
конто́рский, *a.* office (*adj.*)
копоши́ться (-шу́сь, -ши́шься), *imperf.* to be busy (with something)
ко́сность, *f.* apathy, inertia, stagnation
край (*pl.* края́, краёв), *m.* part of the country; edge
кра́йность, *f.* excess
краса́вица, *f.* beautiful woman
кра́ска, *f.* paint, colour
красть (краду́, крадёшь), *imperf.* to steal
крести́ть (крещу́, кре́стишь), *imperf.* to stand godfather to someone
кре́стненький, *m.* godfather
кровь, *f.* blood
крот (*gen.* крота́), *m.* mole
кро́ткий, *a.* gentle
круго́м, *adv.* round about
кста́ти, *adv.* at the right moment; incidentally
кузне́ц (*gen.* кузнеца́), *m.* smith
кула́к (*gen.* кулака́), *m.* greedy, money-grubbing peasant (*lit.* fist)
купи́ть (куплю́, ку́пишь), *perf.* of покупа́ть, to buy
ку́рица (*pl.* ку́ры), *f.* hen
кусо́к (*gen.* куска́), *dim.* кусо́чек (*gen.* кусо́чка), *m.* bit, small piece
ку́тать, *imperf.* to wrap up

ла́вочник, *m.* shopkeeper
ла́дить (ла́жу, ла́дишь), *imperf.* to get on with someone
лапша́, noodles
ла́ска, *f.* kindness
ласка́ть, *imperf.* to caress
ле́бедь, *m.* swan
лени́вый, *a.* lazy
лень, *f.* laziness
лепета́ть (лепечу́, лепе́чешь), *imperf.* to prattle, babble
лесни́чество, *n.* forest plantation
лесни́чий, *m.* forester
лечи́ть (лечу́, ле́чишь), *imperf.* to give medical treatment
ли́повый, *a.* (made from) lime flowers
личи́на: под личи́ной, under the guise
ли́чность, *f.* personality
ли́чный, *a.* personal
лиши́ться, *perf.* to deprive oneself
ли́шний, *a.* unnecessary
лоб (*gen.* лба), *m.* brow, forehead
ложи́ться/лечь (ля́гу, ля́жешь, ля́гут), to lie down; to go to bed
лома́ть, *imperf.* to wring (one's hands)
ло́мберный стол, card-table
лось, *m.* elk
луч (*gen.* луча́), *m.* ray
любе́зность, *f.* kindness
любо́вница, *f.* mistress

маг, *m.* magus, sorcerer, magician
маги́стр, *m.* master of arts
ма́зать (ма́жу, ма́жешь), *imperf.* to daub
мали́нка, *f.* raspberry tea
малоподви́жный, *a.* slow-moving; moving with difficulty
ма́ло того́, moreover

ма́чеха, *f.* stepmother

ме́дный, *a.* brass

медици́на, *f.* medicine

меле́ть (меле́ет), *imperf.* to become shallow

ме́лкий, *a.* small, petty

ме́льница: водяна́я ме́льница, water mill

ме́ра, *f.* measure; **по ме́ньшей ме́ре,** at the very least

мере́щиться, *imperf.* to be imagined, to appear

ме́сяц, *m.* month

мете́ль, *f.* snowstorm, blizzard

мечта́тельно, *adv.* dreamily

меша́ть, *imperf.* to prevent, stop; hinder (+*dat.*)

мигре́нь, *f.* migraine

милосе́рдие, *n.* charity, mercy

милосе́рдный, *a.* charitable, merciful

ми́лостивый, *a.* gracious, kind, merciful

ми́лость, *f.* favour; **по твое́й ми́лости,** thanks to you

ми́лый, *a.* sweet, charming; **ми́лая моя́,** my dear

ми́мо, *prep.* past, by

минова́ть (-ну́ю, -ну́ешь), *imperf.* to omit, fail to do something

мир, *m.* peace; world

мири́ть, *imperf.* to reconcile

мири́ться, *imperf.* to be reconciled, make it up (with someone)

мне́ние, *n.* opinion

многоуважа́емый, *a.* highly respected

моги́ла, *f.* grave

мозг, *m.* brain

моли́ться (молю́сь, мо́лишься), *imperf.* to pray

мо́лния, *f.* lightning

молча́ть (-чу́, -чи́шь), *imperf.* to keep silent

мора́ль, *f.* morality, ethics

моро́чить, *imperf.* to fool someone, pull someone's leg

мота́ть, *imperf.* to wind

моше́нник, *m.* swindler, rogue

мра́чный, *a.* gloomy

мужи́к (*gen.* мужика́), *m.* peasant

мука́, *f.* flour

мучи́тельный, *a.* agonising, painful

мы́льный, *a.* soap(y)

мы́слить, *imperf.* to think

мысль, *f.* thought

мя́гкий, *a.* mild

навеселе́, *adv.* tipsily

на́глый, *a.* insolent, impertinent

нагну́ть (-ну́, -нёшь), *perf. of* **нагиба́ть,** to bend

нагну́ться (-ну́сь, -нёшься), *perf.* to bend down

нагрязни́ть, *perf. of* **грязни́ть,** to dirty

наде́жда, *f.* hope

наде́яться (-е́юсь, -е́ешься), *imperf.* to hope

надое́сть (-е́м, -е́шь, -е́ст, -еди́м, -еди́те, -едя́т), *perf. of* **надоеда́ть,** to pester, bore (+*dat.*)

назида́ние, *n.* edification

наи́вный, *a.* naïve

наи́грывать, *imperf.* to play (a tune)

наизу́сть, *adv.* by heart

наконе́ц, *adv.* in the end, at last

налегке́, *adv.* without luggage, light

налива́ть/нали́ть (лью, льёшь, to pour out

наложи́ть (-ложу́, -ло́жишь), *perf.* to lay, put

намёк, *m.* hint

нама́рщить, *perf.* to knit (brow)

H—U.V.

напива́ться/напи́ться (-пью́сь, -пьёшься), to get drunk

напои́ть, *perf.* to give someone something to drink (+ *instr.*)

напо́лнить, *perf.* to fill

наполня́ться, *imperf.* to be filled

напра́сно, *adv.* for nothing; in vain

напряга́ть/напря́чь (-ягу́, -яжёшь, -ягу́т), to strain

наро́д, *m.* people; peasantry

наро́чно, *adv.* deliberately

нару́жность, *f.* appearance, looks

наруша́ть, *imperf.* to break (one's word); to fail (in one's duty)

наси́лие, *n.* force

наслажда́ться, *imperf.* to enjoy (+ *instr.*)

насле́дство, *n.* inheritance

наста́ивать, *imperf.* to insist on something

настоя́щий, *a.* real; present; **настоя́щее,** *a. used as noun,* the present

настра́ивать, *imperf.* to tune

настрое́ние, *n.* mood, attitude of mind

наступи́ть (-уплю́, -у́пишь), *perf.* to arrive

насчёт, *prep.* concerning, about

нау́ка, *f.* learning; science

наха́льный, *a.* impudent, insolent

находи́ть (-хожу́, -хо́дишь)/ **найти́** (найду́, найдёшь), to find

нача́ло, *n.* beginning

неблагополу́чный, *a.* unhappy

небо́сь, *parenth.* probably, most likely

нева́жный, *a.* unimportant

неве́жество, *n.* ignorance

неви́нный, *a.* harmless, innocent

невменя́емый, *a.* not responsible for one's actions

невозмо́жный, *a.* impossible

невыноси́мый, *a.* unbearable

него́дный, *a.* worthless

недоуме́ние, *n.* bewilderment

недурно́й, *a.* not bad

не́жный, *a.* tender

не́жность, *f.* tenderness

нездоро́вый, *a.* unwell

неизбе́жный, *a.* inevitable

неизъясни́мый, *a.* inexplicable

не́когда, *adv.* there is no time; **мне не́когда,** I have no time

некста́ти, *adv.* out of place

неле́пость, *f.* absurdity

ненави́деть (-ви́жу, -ви́дишь), *imperf.* to hate

ненави́стничать, *imperf.* to do a bit of hating

необыкнове́нно, *a.* extraordinary, unusual

непоси́льный, *a.* back-breaking

непосре́дственный, *a.* close, immediate

непостижи́мый, *a.* incomprehensible

непреме́нно, *adv.* certainly

непривлека́тельный, *a.* unprepossessing

непрола́зный, *a.* impassable

неразви́тый, backward

не́рвный, *a.* nervous

несомне́нный, *a.* unquestionable

несча́стный, *a.* unfortunate, unhappy

несча́стье, *n.* misfortune, bad luck

нетерпели́во, *adv.* impatiently

нетерпе́ние, *n.* impatience

неуже́ли, *adv.* is it possible? can it be true? really?

не́хотя, *adv.* reluctantly

нипочём : всё мне нипочём, I don't give a damn for anything

ничтóжейший, *a.* extremely insignificant

ничтóжество, *n.* nonentity

ничтóжный, *a.* insignificant

нúщенский, *a.* beggar's, beggarly

нищетá, *f.* poverty

нúщий, *a. as noun* beggar

нóжка, *dim. of* **ногá,** *f.* leg

носúться (ношýсь, нóсишься), *imperf.* to rush about

ночевáть (-чýю, -чýешь), *imperf.* to spend the night

нýдный, *a.* tedious, tiresome

нуждá (*pl.* нýжды), *f.* want, poverty; need

нуждáться, *imperf.* to need, be in need of

нуль (*gen.* нуля), *m.* zero, nought

ныть (нóю, нóешь), *imperf.* to whine, whimper

обаяние, *n.* fascination

обвинять/обвинúть, to accuse (**в** + *prep.*, of)

обéдать/пообéдать, to have dinner

обеднéвший, *a.* impoverished

обещáть, *perf. and imperf.* to promise

обúть (обобью, обобьёшь), *perf.* to hang (with material), to cover (furniture)

обласкáть, *perf.* to be kind to someone, make a fuss of someone

обленúться (-ленюсь, -лéнишься), *perf.* to get lazy

обмáнывать/обманýть (-анý, -áнешь), to cheat, deceive

обнимáть, *imperf.* to embrace

обожáть, *imperf.* worship, adore

обойтúсь (-ойдýсь, -ойдёшься), *perf. of* **обходúться** (обхожýсь, обхóдишься), to manage, make do

оборáчиваться, *imperf.* to turn

обрáдоваться (-дуюсь, -дуешься), *perf.* to rejoice

óбраз, *m.* way, manner

образовáние, *n.* education

образóванный, *a.* educated

образцóвый, *a.* model

обратúть (-ащý, -атúшь), *perf.* to turn

обстанóвка, *f.* environment

обсудúть (-сужý, -сýдишь), *perf.* to consider

обсуждéние, *n.* consideration

óбщество, *n.* company

óбщий, *a.* general; **в óбщем,** generally (speaking)

объявúть (-явлю, -явишь), *perf.* to announce

объятие, *n.* embrace

обывáтельский, *a.* philistine

обыкновéнно, *adv.* usually, as a rule

обыскáть (-ыщý, -ыщешь), *perf.* to search

обязанность, *f.* obligation, duty, responsibility

оглядываться/оглядéться (-гляжýсь, -глядúшься) to look around

оглядываться/оглянýться (-глянýсь, -гля́нешься), to look round

огонёк (*gen.* огонькá), *m.* little light

óда, *f.* ode

одарённый, *a.* gifted, endowed

одеяло, *n.* bedclothes

однообрáзный, *a.* monotonous

óзеро (*pl.* озёра), *n.* lake

óзимь, *f.* winter crops

означа́ть, *imperf.* to designate, show, mean

озя́бнуть (-ну, -нешь), *perf.* to be cold, chilled

ока́зываться, *imperf.* to turn out

око́нчиться, *perf.* to end

о́мут, *m.* whirlpool; deep hole in river-bed

опе́ка, *f.* guardianship, being guarded

опера́ция, *f.* operation

определённый, *a.* definite, defined

опроверга́ть, *imperf.* to refute

опуска́ться, *imperf.* to be lowered

опусти́ть (-ущу́, -у́стишь), *perf.* to bend, hang (head)

опустоша́ться, *imperf.* to be laid waste

опустоше́ние, *n.* devastation

освежи́ть, *perf.* to freshen

освежи́ться, *perf.* to be refreshed

освободи́ть (-ожу́, -оди́шь), *perf.* to free

освободи́ться (-ожу́сь, -оди́шься), *perf.* to free oneself

осе́нний, *a.* autumn

осма́тривать(ся), *imperf.* to look over, examine

осо́ба, *f.* person

оспа́ривать, *imperf.* to dispute, question, call in question

остава́ться (остаю́сь, остаёшься), *imperf.* to remain

оставля́ть/оста́вить (-влю, -вишь), to leave off, give up, stop

остана́вливаться, *imperf.* to stop

оста́ток, *m.* remnant

осторо́жно, *adv.* carefully

о́стрый, *a.* sharp

отврати́тельный, *a.* disgusting

отда́ть (-да́м, -да́шь, -да́ст, -дади́м, -дади́те, -даду́т), *perf.* *of* **отдава́ть** (-даю́, -даёшь), to give up, give away, give back

отдохну́ть (-ну́, -нёшь), *perf.* to rest, have rest

оте́чество, *n.* fatherland

отка́зывать(ся)/отказа́ть(ся) (-кажу́, -ка́жешь), to refuse

открове́нно, *adv.* frankly

открыва́ть/откры́ть (-кро́ю, -кро́ешь), to open

отли́чный, *a.* excellent

относи́ться (-ношу́сь, -но́сишься), *imperf.* to treat, feel about something (к + *dat.*)

отнима́ть/отня́ть (-ниму́, -ни́мешь), to take away

отноше́ние, *n.* relation, relationship

отправля́ться, *imperf.* to set off, leave

отрави́ть (-авлю́, -а́вишь), *perf.* to poison

отрезве́ть (-е́ю, -е́ешь), *perf.* to become sober

отста́вка, *f.* retirement

отставно́й, *a.* retired

отсу́тствие, *n.* absence

отума́нивать, *imperf.* to blur, cloud

отупе́ние, *m.* stupor

отча́яние, *n.* despair

отча́янный, *a.* hopeless

охо́та, *f.* wish, desire

охо́тно, *adv.* willingly, readily

очарова́тельный, *a.* charming

очеви́дно, *adv.* obviously

очну́ться (-ну́сь, -нёшься), *perf.* to wake up

очути́ться (очу́тишься), *perf.* to find oneself

ошеломля́ть/ошеломи́ть (-млю́, -ми́шь), to stun

па́дчерица, *f.* stepdaughter

пали́ть, *imperf.* to shoot

пальба́, *f.* shooting

па́пка, *f.* folder for papers

па́смурный, *a.* dull, cloudy

пасти́ (пасу́, пасёшь), *imperf.* to put to graze, to pasture

пасть (паду́, падёшь), *perf.* to fall down

па́уза, *f.* pause

пейза́ж, *m.* landscape, scenery

перебира́ть/перебра́ть (-беру́, -берёшь), to sort out

перебира́ться/перебра́ться (-беру́сь, -берёшься), to move (house)

перевари́ть (-варю́, -ва́ришь), *perf.* to endure

перевести́сь (-веду́сь, -ведёшься), *perf.* to become extinct

переду́мать, *perf.* to think something over, to turn something over in one's mind.

пережёвывать/пережева́ть (-жую́, -жуёшь), to chew over

пережи́ть (-живу́, -живёшь), *perf.* to live through

перекова́ть (-кую́, -куёшь), *perf.* to change a horse's shoes

перели́стывать, *imperf.* to turn over the pages (of a book)

перепи́сывать, *imperf.* to copy out

перестава́ть (-стаю́, -стаёшь)/ **переста́ть** (-ста́ну, -ста́нешь), to stop

перча́тка, *f.* glove

Пестру́шка, *proper noun,* 'Speckly' (*from* пёстрый, speckled)

петь (пою́, поёшь), *imperf.* to sing

печа́льный, *a.* sad

печёнка, *f.* liver

печь, *f.* stove

пита́ть, *imperf.* to cherish, feel

пито́мник, *m.* nursery (for plants)

пла́кать (пла́чу, пла́чешь), *imperf.* to cry, weep

плато́к (*gen.* платка́), *m.* handkerchief

пла́чущий, *a.* tearful

плед, *m.* rug

плечо́ (*pl.* пле́чи), *n.* shoulder

пло́щадь, *f.* area

побежда́ть, *imperf.* to conquer

побеспоко́ить, *perf.* to disturb

поблёкнуть, *perf. of* блёкнуть, to fade

поброса́ть, *perf.* to throw

пове́дать, *perf.* to impart, disclose

поведе́ние, *n.* behaviour

пове́сить (-ве́шу, -ве́сишь), *perf. of* ве́шать, to hang

пове́ситься (-ве́шусь, -ве́сишься), *perf. of* ве́шаться, to hang oneself

пови́димому, apparently

повторя́ть/повтори́ть, to repeat

погиба́ть, *imperf.* to perish

поги́бель, *f.* ruin, destruction

погогота́ть (-гогочу́, -гого́чешь), *perf.* to cackle a little

погоди́ть (-гожу́, -годи́шь), *perf.* to wait a little

по́греб, *m.* cellar

погружа́ться, *imperf.* to become absorbed, engrossed

погуби́ть (-гублю́, -гу́бишь), *perf.* to destroy

пода́гра, *f.* gout

пода́грик, *m.* sufferer from gout

пода́ть (-да́м, -да́шь, -да́ст, -дади́м, -дади́те, -даду́т): **пода́ть лошаде́й**, to bring round the horses (to the front of the house)

подбоче́ниться, *perf.* to put one's arms akimbo

поддава́ться (-даю́сь, -даёшься)/**подда́ться** (-да́мся,-да́шься, -да́стся, -дади́мся -дади́тесь, -даду́тся), to submit, give in to (+ *dat.*)

поди́, *parenth.* just you (do something), go and (do something)

поднос, *m.* tray

подня́ть (-ниму́, -ни́мешь), *perf. of* **поднима́ть,** to pick up, raise

подня́ться (-ниму́сь, -ни́мешься), *perf.* to rise

подо́бный, *a.* similar

подозри́тельный, *a.* suspicious

подру́га, *f.* (girl) friend

подружи́ться, *perf.* to make friends

подсви́стывать, *imperf.* to whistle

подсказа́ть (-ажу́, -а́жешь), *perf.* to tell, suggest

поду́мать, *perf.* to think

подходи́ть (-хожу́, -хо́дишь), *imperf.* to go up to

пожале́ть (-е́ю, -е́ешь), *perf. of* **жале́ть** (-е́ю, -е́ешь), to feel sorry for someone, pity someone

пожа́луй, *adv.* very likely

пожа́р, *m.* fire

пожа́тие, *n.* handshake

пожима́ть/пожа́ть (-жму́, жмёшь): **пожа́ть ру́ки,** to shake hands; **пожа́ть плеча́ми,** to shrug one's shoulders

пожи́ть (-живу́, -живёшь), *perf.* to spend a little time

позва́ть (-зову́, -зовёшь), *perf.* to call

позволя́ть/позво́лить, to permit

пои́ть, *imperf.* to water (a horse)

пока́зывать/показа́ть (пока́жу́, пока́жешь), to show, point to

покача́ть, *perf.* to shake

покло́н, *m.* bow

покло́нник, *m.* admirer

поко́й, *m.* rest, peace; room (in house)

поко́йница, *n.* the deceased (woman)

поко́йный, *a.* quiet, peaceful; the late (of dead person)

поко́нчить (-ко́нчу, -ко́нчишь), *perf.* to finish

поко́рно, *adv.* humbly, submissively

покоря́ться, *imperf.* to surrender

покуша́ться, *imperf.* to attempt

по́ле (*pl.* поля́, поле́й), *n.* margin

по́лно(те), that's enough! come, come!

по́лный, *a.* complete, full

полови́к (*gen.* половика́), *m.* doormat

положи́ть (положу́, поло́жишь), *perf. of* **класть** (кладу́, кладёшь), to place; **поло́жим,** (let us) suppose

положи́ться (положу́сь, поло́жишься), *perf.* to rely (upon)

полубо́г, *m.* demi-god

полуразру́шенный, *a.* half-destroyed, half-ruined

получа́ть/получи́ть (получу́, полу́чишь), to get, receive

по́льза, *f.* use, benefit; **в по́льзу,** in favour of

по́льзоваться (-зуюсь, -зуешься), *imperf.* to use

по́лька, *f.* polka

поме́щик, *m.* landowner

помири́ть, *perf.* to reconcile

помири́ться, *perf.* to become reconciled

по́мниться, *imperf.* to remember, be remembered

помога́ть/помо́чь (-могу́, -мо́жешь), to help

помоли́ться, *perf. of* **моли́ться** (-олю́сь, -о́лишься), to pray (for someone)

помо́щник, *m.* assistant

помяну́ть (-яну́, -я́нешь), *perf.* to remember

помя́ть (-мну́, -мнёшь), *perf.* to crush, crumple, rumple

пона́добиться (-блюсь, -бишься), *perf.* to be found necessary

понево́ле, *adv.* against one's will

пони́зиться (-и́жусь, -и́зишься), *perf.* to fall, decline

понра́виться, *perf. of* **нра́виться** (-влюсь, -вишься), to please someone

поо́даль, *adv.* some distance away

попада́ть/попа́сть (-паду́, -падёшь), to hit

поправля́ть/попра́вить (-влю, -вишь), to straighten

попре́жнему, *adv.* as usual, as before

попроси́ть (-прошу́, -о́сишь), *perf.* to ask

пора́, *f.* time, **до сих пор,** up to now; **с тех пор,** since then

поросёнок, *m.* (*pl.* порося́та), piglet

по́росль, *f.* shoot (of vegetation)

по́ртить (по́рчу, по́ртишь), *imperf.* to spoil

пору́бка, *f.* unauthorised wood-cutting

поры́в, *m.* impulse

поры́висто, *adv.* impulsively

поря́док (*gen.* поря́дка), *m.* order

поря́дочный, *a.* well-bred

посади́ть (-сажу́, -са́дишь), *perf. of* **сажа́ть,** to plant

поселя́ться/посели́ться, to settle (somewhere)

посети́ть (-сещу́, -сети́шь), *perf.* to visit

поскоре́е, *adv.* as quickly as possible

после́довательность, *f.* sequence

послы́шаться (послы́шится), *perf.* to be heard

пост (*gen.* поста́), *m.* fast; **Вели́кий пост,** Lent

постара́ться, *perf. of* **стара́ться,** to endeavour

постаре́ть (-ре́ю, -ре́ешь), *perf. of* **старе́ть,** to age, to grow old

по-ста́рому, as in the old days

посте́ль, *f.* bed

постепе́нный, *a.* gradual

по́стный: по́стное ма́сло, vegetable oil used in Lent

постольку поскольку, in so far as

постоя́нный, *a.* constant, regular

постоя́ть (-стою́, -стои́шь), *perf.* to stand still; **постой!** stop!

посыла́ть/посла́ть (пошлю́, пошлёшь), to send for (**за** + *instr.*)

потащи́ть (-ащу́, -а́щишь), *perf.* to drag

потёмки, *pl.* darkness

потеря́ть, *perf.* to lose

пото́мство, *n.* posterity

потону́ть, *perf. of* **тону́ть** (тону́, то́нешь), to sink, to drown

потра́тить (-а́чу, -а́тишь), *perf.* to spend

по-туре́цки, as in Turkey

похвала́, *f.* praise

похо́жий, *a.* resembling, like

по-христиа́нски, like Christians

поцелова́ть (-лу́ю, -лу́ешь), *perf.* to kiss

поцелу́й, *m.* kiss

почива́ть, *imperf.* to be at rest, to sleep

почте́нный, *a.* esteemed

пошáтываться, *imper.* to stagger about

по́шлость, *f.* vulgarity

пошля́к (*gen.* пошляка́), *m.* vulgar person

пошля́ческий, *a.* of a vulgar person

пощади́ть, *perf. of* **щади́ть** (щажу́, щади́шь), to have mercy

пра́во, really

пра́здность, *f.* idleness

пра́здный, *a.* idle

превосходи́тельство, *n.* excellency

превосхо́дный, *a.* splendid

предлага́ть/предложи́ть (-ожу́, -о́жишь), to propose, put forward

предложе́ние, *n.* proposal

предопределе́ние, *n.* predestination

представля́ться, *imperf.* to appear, seem

пре́жний, *a.* former

презира́ть, *imperf.* to despise

презре́нный, *a.* contemptible

преле́стный, *a.* lovely

прете́нзия, *f.* pretension

приба́вить (-влю, -вишь), *perf.* to add

прибега́ть/прибежа́ть (-бегу́, бежи́шь), to run to, to resort, to have recourse

приве́т, *m.* greeting

привыка́ть/привы́кнуть, to get accustomed, used to something

привя́занность, *f.* affection

привяза́ться (-яжу́сь, -я́жешься), *perf.* to become attached to

пригла́живать, *imperf.* to stroke

приглаша́ть/пригласи́ть (-ашу́, -аси́шь), to invite, ask to come

пригото́вить (-влю, -вишь), *perf.* to prepare, get ready

прида́ное, *n.* dowry

приду́мать, *perf.* to devise, think up

прижива́л, *dim.* **прижива́льщик,** *m.* hanger-on, sponger

прижима́ться, *imperf.* to press close

прижи́ть (-живу́, -живёшь), *perf.* to beget

призва́ние, *n.* vocation

призна́ться, *perf.* to confess

прийти́сь (придётся), *perf.* (*impers.*) to have to, to be forced to do something

приказа́ть (-ажу́, -а́жешь), *perf.* to order

прика́зчик, *m.* steward, landagent

прилепля́ть/прилепи́ть (-еплю́, -е́пишь), to stick

принадлежа́ть (-жу́, -жи́шь), *imperf.* to belong

принадле́жности, *pl.* accessories, things

принима́ть/приня́ть (приму́, при́мешь), to accept, receive; take

принима́ться, *imperf.* to begin to

припада́ть, *imperf.* to press oneself (close)

приро́да, *f.* nature

приса́живаться/присе́сть (-ся́ду, -ся́дешь), to sit down

прислони́ться, *perf.* to lean up against

прислу́га, *f.* servants, domestic staff

прислу́шиваться, *imperf.* to listen

присыла́ть/присла́ть (пришлю́, пришлёшь), to send

при́стально, *adv.* fixedly, intently

приступи́ть (-уплю́, -у́пишь), *perf.* to get down to (business)

пристяжна́я ло́шадь, *f.* trace-horse

притворя́ться, *imperf.* to pretend, sham

притупи́ться (притупится), *perf.* to grow numb, weak

приумножа́ть, *imperf.* to increase, augment, multiply

приходи́ть (-хожу́, -хо́дишь), *imperf.* to arrive, to come

приходи́ться (прихо́дится) *imperf.* to happen

прихо́до-расхо́дная кни́га, receipt book, account book

причи́на, *f.* cause, reason; **по причи́не**, on account of

прия́тель, *m.* good companion

пробива́ть доро́гу, *imperf.* to blaze a trail

проводи́ть (-вожу́, -во́дишь), *perf.* to see someone off on a journey

прогу́лка, *f.* stroll

прое́кт, *m.* project

прожи́ть (-живу́, -живёшь), *perf.* to live through, on

происходи́ть (-хо́дит)/**произойти́** (-йдёт), to take place, to result, happen

про́клятый, *a.* cursed

пролега́ть/проле́чь (проля́жет), to run (of a road), to lie along

про́мах, *m.* miss, failure

пропа́сть (-паду́, -падёшь), *perf.* to be lost, spoilt

проснуться, *perf. of* **просыпа́ться**, to wake (up)

прости́ть (прощу́, прости́шь), *perf. of* **проща́ть**, to forgive

прости́ться (прощу́сь, прости́шься), *perf. of* **проща́ться**, to say goodbye

просто́й, *a.* simple, ordinary

протащи́ть (-ащу́, -а́щишь), *perf. of* **прота́скивать**, to drag

протестова́ть (-ту́ю, -ту́ешь), *imperf.* to protest

проти́вный, *a.* repugnant, nasty

противоре́чить, *imperf.* to contradict

протя́гивать, *imperf.* to stretch out, hold out (one's hand)

профе́ссорша, *f.* professor's wife

процвета́ть, *imperf.* to flourish

проце́нт, *m.* per cent

проце́нтные бума́ги, *pl.* securities

про́чее: и про́чее и про́чее, and so on and so forth

прочь, *adv.* away, off

про́шлое, *n.* the past

проща́нье, *n.* farewell

проща́ться/прости́ться (прощу́сь, прости́шься), to say goodbye

пря́тать (пря́чу, пря́чешь)/**спря́тать**, to hide; to put in

психопа́т, *m.* psychopathic case

пти́чка, *f.* little bird

пуга́ть, *imperf.* to frighten

пуд (*pl.* пуды́), *m.* poud (=36 lbs)

пузы́рь (*gen.* пузыря́), *m.* bubble

пуска́ть/пусти́ть (пущу́, пу́стишь), to let, allow

пу́стошь, *f.* waste land

пустя́к (*gen.* пустяка́), *m.* trifle

пу́таться, *imperf.* to get confused

пуши́стый, *a.* fluffy

пытли́во, *adv.* searchingly

пья́ный, *a.* drunk

пятно́ (*pl.* пя́тна), *n.* patch, blot

рабо́тать : рабо́тать на кого-
нибудь, to work for someone,
on someone's behalf

равноду́шно, *adv.* indifferently

ра́вный, *a.* equal

рад, *a.* glad

ра́ди, *prep.* for the sake of (+*gen.*)

разбо́йник, *m.* robber

разбреда́ться/разбрести́сь
(-бредётся), to wander off in
all directions

разброса́ть, *perf.* to scatter

разбуди́ть (-ужу́, -у́дишь). *perf.*
to wake (someone) up

ра́зве, *adv.* except perhaps

разви́тый, *a.* developed

разгова́ривать, *imperf.* to talk,
converse

разгово́р, *m.* conversation

раздража́ть/раздражи́ть, to
irritate

разду́мывать, *imperf.* to medi-
tate

разду́мье, *f.* meditation

разма́х, *m.* range, scope

разме́р, *see* **сре́дний**

разойти́сь (-йду́сь, -йдёшься),
perf. of **расходи́ться** (-хо-
жу́сь, -хо́дишься), to separate,
go apart, part

разруша́ть/разру́шить, to
destroy

разруше́ние, *n.* destruction

ра́зум, *m.* reason

раско́льник, *m.* dissenter

распоряди́ться (-яжу́сь,
-яди́шься), *perf. of* **распо-**
ряжа́ться, to make arrange-
ments

рассвета́ть/рассвести́ (рассветёт), to dawn

рассе́яться (-е́юсь, -е́ешься),
perf. to clear, disperse

расстоя́ние, *n.* distance

расстра́ивать/расстро́ить, to
put in disorder

растро́ганный, *a.* moved,
touched

растя́гивать, *imperf.* to spread
out

расходи́ться (-хожу́сь, -хо́-
дишься), *imperf.* to lose
one's temper

расчёт, *m.* calculation, **по рас-**
чёту, schemingly

ревизо́р, *m.* government inspector

ревмати́зм, *m.* rheumatism

ревнова́ть (-ну́ю, -ну́ешь), *im-*
perf. to be jealous

ре́вность, *f.* jealousy

регули́ровать (-рую, -руешь),
imperf. to regulate, set in order

ре́дкий, *a.* rare

ре́дкость, *f.* rarity

реме́нь (*gen.* ремня́), *m.* strap

реце́пт, *m.* prescription

речь (*gen. pl.* речей́), *f.* speech

реши́тельно, *adv.* definitely

реши́ть, *perf. of* **реша́ть,** to
decide

реши́ться, *perf. of* **реша́ться,**
to decide

рисова́ние, *n.* drawing

рисова́ть (-су́ю, -су́ешь), *im-*
perf. to draw (up)

ро́вно, *adv.* exactly

роди́ться (рожу́сь, роди́шься),
perf. to be born

родна́я, *f. a.* my dear

ро́дственный, *a.* family, related
by blood

Рожде́ственный, *a. as noun.*
Christmas

рома́н, *m.* love-affair; novel

роско́шный, *a.* gorgeous

ро́скошь, *f.* precious thing

руби́ть (рублю́, ру́бишь), *imperf.* to fell

руса́лка, *f.* water-nymph

руса́лочий (-чья, -чье), *a.* of a water-nymph

ры́ться (ро́юсь, ро́ешься), *imperf.* to rummage

рю́мка, *dim.* рю́мочка, *f.* wine glass

рябо́й, *a.* pock-marked

ря́дом, *adv.* next to (**с** + *instr.*)

сади́ться (сажу́сь, сади́шься)/ сесть (ся́ду, ся́дешь), to sit down

сажа́ть/посади́ть (-сажу́, -са́дишь), to plant

самомне́ние, *n.* self-conceit

самосозна́ние, *n.* self-awareness, sense of responsibility

сара́й, *m.* barn

сбере́чь (сберегу́, сбережёшь), *perf. of* сберега́ть, to preserve

сва́дьба, *f.* wedding

свали́ться (свалю́сь, сва́лишься), *perf. of* сва́ливаться, to fall down

све́дущий, *a.* experienced

свёртывать, *imperf.* to roll up

сверчо́к (*gen.* сверчка́), *m.* cricket

свет, *m.* world

све́тлый, *a.* radiant, bright

свеча́ (*pl.* све́чи), *f.* candle

свисте́ть (свищу́, свисти́шь), *imperf.* to whistle

свобо́дный, *a.* free; clear (head)

своевре́менный, *a.* timely

своевре́менно, *adv.* at the right time, in good time

свы́ше, *adv.* from above

свя́зывать/связа́ть (свяжу́, свя́жешь), to tie up

свяще́нный, *a.* sacred, holy

сде́латься, *perf.* to develop, become

сде́рживать, *imperf.* to hold back

се́ни (*gen.* сене́й), *pl.* hall-way

се́но, *n.* hay

сеноко́с, *m.* haymaking

сервиро́ванный, *a.* laid (of a table)

серди́тый, *a.* angry

серди́ться (сержу́сь, се́рдишься), *imperf.* to be angry

се́рый, *a.* grey

серьёзный, *a.* serious

сесть (ся́ду, ся́дешь), *perf. of* сади́ться (сажу́сь, сади́шься), to sit down

се́тка, *f.* grid, criss-cross lines

сжа́литься. *perf.* to take pity on (**над** + *instr.*)

си́ла, *f.* energy, power

си́льно, *adv.* very much

сирота́, *m. or f.* orphan

скака́ть (скачу́, ска́чешь), *imperf.* to gallop

скамья́, *f.* bench

скворе́ц, *m.* starling

скит (*gen.* скита́), *m.* hermitage

склеп, *m.* burial-vault

склоня́ться, *imperf.* to bend down

скля́нка, *f.* (medicine) bottle

сконча́ться, *perf.* to die

скоре́е, *adv.* rather

скоси́ть (скошу́, ско́сишь), *perf.* to mow

скот : рога́тый скот, cattle

скрести́ть (-ещу́, -ести́шь), *perf.* to cross

скрипе́ть (-плю́, -пи́шь), *imperf.* to squeak

скрыва́ть/скрыть (скро́ю, скро́ешь), to hide

ску́ка, *f.* boredom

скуча́ть, *imperf.* to be bored
ску́чный, *a.* dull, boring
сла́ва, *f.* glory
сла́вный, *a.* wonderful
след (*pl.* следы́), *m.* trace
следи́ть (слежу́, следи́шь), *imperf.* to follow (**за** + *instr.*)
сло́вно, *conj.* as if
сло́во : одни́м сло́вом, in short
слух, *m.* hearing
случи́ться, *perf.* to happen
слу́шать, *imperf.* to listen; **слу́шаю,** all right, of course (I will)
слы́шать (слы́шу, слы́шишь), *imperf.* to hear; **слы́шал,** all right
слы́шаться (слы́шится), *imperf.* to be heard
сме́лость, *f.* courage, daring
смени́ть (сменю́, сме́нишь), *perf. of* **сменя́ть,** to relieve someone on duty
смешно́й, *a.* comical, ridiculous, funny
смея́ться (смею́сь, смеёшься), *imperf.* to laugh
смуща́ться/смути́ться, to be embarrassed, confused
смуще́ние (смущу́сь, смути́шься), *n.* confusion
смысл, *m.* sense
смягча́ть(ся)/смягчи́ть(ся), to soften, temper
снача́ла, *adv.* first of all, to begin with
снима́ться/сня́ться (снимусь, сни́мешься), to have one's photograph taken
сни́ться, *perf.* to dream (*impers.* + *dat.*)
сноси́ть (сношу́, сно́сишь), *imperf.* to suffer, put up with
собира́ть/собра́ть (-беру́, -берёшь), to gather together

собира́ться/собра́ться (-беру́сь, -берёшься), to gather; to prepare
со́бственный, *a.* own
соверше́нно, *adv.* completely
со́весть, *f.* conscience
сове́т, *m.* advice
сове́тник, *m.* councillor
согла́сие, *n.* concord, harmony; agreement
согласи́ться (-ашу́сь, -аси́шься), *perf. of* **соглаша́ться,** to agree
согре́ть (-е́ю, -е́ешь), *perf. of* **согрева́ть,** to warm
согре́ться (-е́юсь, -е́ешься), *perf. of* **согрева́ться,** to warm oneself
сожале́ние, *n.* regret; pity; **к сожале́нию,** unfortunately
создава́ть (-даю́, -даёшь)/**созда́ть** (-да́м, -да́шь, -да́ст, -дади́м, -дади́те, -даду́т), to create
созда́ние, *n.* being, creature
сознава́ть (-наю́, -наёшь)/**созна́ть** (-на́ю, -на́ешь), to recognise, admit
сознава́ться (наю́сь, -наёшься)/**созна́ться** (-на́юсь, -на́ешься), to confess
сойти́ : сойти́ с ума́, *perf.* to go mad
сок, *m.* juice
со́нный, *a.* sleepy
состри́ть, *perf.* to joke
состоя́ние, *n.* condition
сосчита́ть, *perf.* to calculate, count up
со́хнуть, *imperf.* to dry up
сохрани́ть, *perf.* to keep
спасти́ (спасу́, спасёшь), *perf. of* **спаса́ть,** to save
сплошь, *adv.* everywhere
спор, *m.* disagreement, argument

спо́рить, *imperf.* to argue, dispute

спосо́бность, *f.* ability

спосо́бный, *a.* capable

справедли́вый, *a.* just, fair

спра́шивать/спроси́ть (-ошу́, -о́сишь), to ask

спря́тать, *perf. of* **пря́тать** (-я́чу, -я́чешь), to hide

сравни́ться, *perf.* to equal (**с** + *instr.*)

сра́зу, *adv.* at once; just now

срам, *m.* shame, disgrace

сре́дний, *a.* average; **в сре́днем разме́ре,** on the average

сре́дство, *n.* means

ссы́лка, *f.* exile, banishment

ста́ло быть, *conj.* consequently, therefore

станови́ться (-овлю́сь, -о́вишься)/**стать** (ста́ну, ста́нешь), to become; **станови́ться на коле́ни,** to kneel down

стара́ться, *imperf.* to try

сте́пень: учёная сте́пень, academic degree

сто́ить (сто́ю, сто́ишь), *imperf.* to deserve (+*gen.*)

сто́рож, *m.* watchman

стоя́ть (стою́, стои́шь): **стоя́ть на коле́нах,** to kneel, be kneeling

страда́ние, *n.* suffering

страда́ть, *imperf.* to suffer

стра́стно, *adv.* passionately

стра́шный, *a.* frightful, dreadful

стре́лочник, *m.* pointsman; signalman

стреля́ть, *imperf.* to shoot

стро́гий, *a.* stern

стро́ить (стро́ю, стро́ишь), *imperf.* to build

строй, *m.* structure, order

струна́ (*pl.* стру́ны), *f.* string (of an instrument)

ступа́ть/ступи́ть (ступлю́, сту́пишь), to set foot, go, step

стуча́ть (-чу́, -чи́шь), *imperf.* to knock

сты́дный, *a.* ashamed

суд: отдава́ть под суд, to prosecute, to bring to trial

суда́рыня, *f.* madam

су́дорожно, *adv.* convulsively

судьба́, *f.* fate

сумасше́дший, *m.* madman

супру́г, *m.* husband

супру́га, *f.* wife

суро́вый, *a.* severe, harsh

суха́рь (*gen.* сухаря́), *m.* rusk

существо́, *n.* a being

существова́ние, *n.* existence

существова́ть (-ству́ю, -ству́ешь), *imperf.* to exist

су́щность, *f.* reality

схола́стика, *f.* pedantry

сце́на, *f.* stage; **за сце́ной,** offstage

счастли́вый, *a.* lucky; happy

сча́стье, *n.* happiness

счёт, *m.* bill, invoice

счёты, *pl.* abacus

счита́ть, *imperf.* to consider, think

сыпно́й, *a.* spotted

сыр, *m.* cheese

сыро́й, *a.* damp; raw; corpulent

сюже́т, *m.* subject

сюрту́к (*gen.* сюртука́), *m.* frock-coat

табу́н (*gen.* табуна́), *m.* drove of horses

та́йный, *a.* secret; **та́йный сове́тник,** privy councillor

тала́нтливый, *a.* talented

та́лия, *f.* waist

твори́ть, *imperf.* to create

творо́г, *m.* curds

тво́рческий, *a.* creative
телёнок, *m. pl.* **теля́та,** calf
тени́стый, *a.* shady
тень, *f.* shadow
терпе́ние, *n.* patience
терпе́ть (терплю́, те́рпишь), *imperf.* to endure, put up with
течь (теку́, течёшь), *imperf.* to flow
тёща, *f.* mother-in-law
тиф, *m.* typhus
тишина́, *f.* quiet
томи́ться (-млю́сь, -ми́шься), *imperf.* to languish, pine
тон, *m.* tone (of voice)
топи́ть (топлю́, то́пишь), *imperf.* to heat
то́пливо, *n.* fuel
то́поль (*pl.* тополя́), *m.* poplar
топо́р (*gen.* топора́), *m.* axe
торгова́ть (-гу́ю, -гу́ешь), *imperf.* to trade (in something), to sell (+ *instr.*)
торопли́во, *adv.* hurriedly
торф, *m.* peat
тоска́, *f.* melancholy
тоскова́ть (-ку́ю, -ку́ешь), *imperf.* to pine (for)
то́чно, *conj.* just as though
тракта́т, *m.* tract
тра́титься (тра́чусь, тра́тишься), *imperf.* to be spent
тре́бовать (-бую, -буешь), *imperf.* to order
тре́звый, *a.* sober
треть, *f.* third
треща́ть (-щу́, -щи́шь), *imperf.* to ring, echo
тру́бка, *f.* tube
труди́ться (-ужу́сь, -у́дишься), *imperf.* to work, slave
труп, *m.* corpse
трусли́вый, *a.* cowardly
тупе́ть (-е́ю, -е́ешь), *imperf.* to become dull, dead

ту́пость, *f.* stupidity
ту́ча, *f.* cloud
тяжело́, *adv.* heavily, with difficulty
тяну́ть (тяну́, тя́нешь), *imperf.* to drag

убеди́тельный, *a.* convincing
убежде́ние, *n.* conviction, view
убеждённый, *a.* convinced (of)
убива́ть/уби́ть (убью́, убьёшь), to kill
убива́ться, *imperf.* to worry a great deal
уби́йство, *m.* murder
убира́ть/убра́ть (уберу́, уберёшь), to take away
уважа́ть, *imperf.* to esteem, respect, think highly of
уви́деть (уви́жу, уви́дишь), *perf.* to catch sight of, to notice
уви́деться, *perf.* to see one another
увлека́тельный, *a.* attractive
увлека́ться/увле́чься (-еку́сь, -ечёшься), to be attracted, carried away; to fall in love
увлече́ние, *n.* enthusiasm, infatuation
уга́дывать, *imperf.* to guess
уго́дно: как уго́дно, as you wish; **ско́лько уго́дно,** as much as you wish; **что вам уго́дно?** what do you want?
уде́рживать/удержа́ть (-ержу́, -е́ржишь), to hold back, restrain
уде́рживаться/удержа́ться (-ержу́сь, -е́ржишься), to restrain oneself
удивлённый, *a.* astonished
удовлетворённый, *a.* satisfied
удово́льствие, *n.* pleasure
уе́зд, *m.* district

уе́здный, *a.* district (*adj.*) provincial

у́жас, *m.* horror

ужа́сный, *a.* terrible, dreadful

у́жинать, *imperf.* to have supper

указа́ние, *n.* instruction

ука́зывать, *imperf.* to point

укла́дывать, *imperf.* to put away

украша́ть, *imperf.* to adorn

укрепля́ть, *imperf.* to fasten

улете́ть (улечу́, улети́шь), *perf. of* улета́ть, to fly away

улыба́ться, *imperf.* to smile

улы́бка, *f.* smile

умиле́ние, *n.* tender feeling, tenderness

у́мница, *f.* intelligent woman

умоля́ть, *imperf.* to implore

умы́шленно, *adv.* on purpose

уничто́жить, *perf. of* уничтожа́ть, to destroy

упа́сть (упаду́, упадёшь), *perf.* to fall

уплати́ть (-ачу́, -а́тишь), *perf.* to pay down

употреби́ть (-блю́, -би́шь), *perf. of* употребля́ть, to use

управля́ть, *imperf.* to manage, direct

упрёк, *m.* reproach

упроси́ть (-ошу́, -о́сишь), *perf.* to get someone to agree

уса́дьба, *f.* estate (in the country)

уси́лие, *n.* effort

усме́шка, *f.* (ironical) grin

успе́х, *m.* success

успоко́ить, *perf.* to calm, settle

уста́лый, *a.* tired

уступи́ть (-уплю́, -у́пишь), *perf. of* уступа́ть, to yield, cede to (+*dat.*)

усы́, *pl.* moustache

ута́скивать/утащи́ть (утащу́, ута́щишь), to take away, make away with

утверди́тельный, *a.* positive; affirmative

утира́ть, *imperf.* to wipe

у́тка, *f.* duck

утоли́ть, *perf. of* утоля́ть, to satisfy, appease, quench

утоми́ться (-млю́сь, -ми́шься), *perf.* to be worn out

утомле́ние, *n.* fatigue

утомлённый, *a.* tired

утомля́ть/утоми́ть (-млю́, -ми́шь), to tire, weary

уча́стие, *n.* concern, sympathy

у́часть, *f.* fate

учёный, *a.* learned; *a. as noun.* scholar, man of learning; *see also* сте́пень

фа́брика, *f.* factory

факульте́т, *m.* faculty

фальши́вый, *a.* false

фе́льдшер, *m.* doctor's assistant; male nurse

фли́гель, *m.* wing (of building); out-building

фразёр, *m.* windbag

фура́жка, *f.* cap

хала́т, *m.* dressing-gown

хандра́, *f.* depression

хандри́ть, *perf.* to be depressed

ха́та, *f.* hut, cottage

хвата́ть/хвати́ть (хвачу́, хва́тишь), to grasp, seize; (*impers.*) to be enough

хвата́ться/хвати́ться (хвачу́сь, хва́тишься), to grab (at)

хвора́ть, *imperf.* to be ill

хи́трый, *a.* sly

хи́щница, *f.* beast of prey

хле́бец, *m.* small piece of bread

хло́пать, *imperf.* to bang, slam

хлопота́ть (-очу́, -о́чешь), *imperf.* to take trouble, do one's best

хозя́ин (*pl.* хозя́ева), *m.* master
хозя́йство, *n.* farm, estate
хорёк (*gen.* хорька́), *m.* polecat
хра́бро, *adv.* bravely
хрен: ста́рый хрен, old fogey
хуторо́чек, *m.* small farmstead

целова́ть (-лу́ю, -лу́ешь), *imperf.* to kiss
цель, *f.* aim, target
ци́фра, *f.* figure
цыплёнок (*pl.* цыпля́та), *m.* chick
цы́почки: на цы́почках, on tiptoe

чарова́ть (-ру́ю, -ру́ешь), *imperf.* to charm
чело́, *n.* brow
челове́чество, *n.* mankind
чемода́н, *m.* suitcase
чепуха́, *f.* nonsense, rubbish
черни́ла, *pl.* ink
черни́льница, *f.* ink-well, ink-pot
черта́, *f.* line, feature
чертёж (*gen.* чертежа́), *m.* sketch, drawing
че́стный: че́стное сло́во, word of honour
честь, *f.* honour
чи́стенький, *a.* pure
чистота́, *f.* cleanliness
чи́стый, *a.* pure, clean; clear, free of debts
чрезвыча́йно, *adv.* extremely
что́-то, *adv.* some-how
чувстви́тельно, *adv.* with feeling; acutely, deeply
чу́вство, *n.* feeling

чу́вствовать (-ствую, -ствуешь), *imperf.* to feel
чуда́к (*gen.* чудака́), *m.* crank, eccentric
чуда́чество, *n.* crankiness
чуда́чка, *f.* silly woman
чуде́сный, *a.* wonderful
чу́дный, *a.* wonderful
чу́ждый, *a.* ignorant (of)
чужо́й, *a.* someone else's; strange
чуло́к, *m.* sock
чуло́чная шерсть, wool for stockings

шага́ть, *imperf.* to stride
шанс, *m.* chance
шата́ться, *imperf.* to lounge about
шёпот, *m.* whisper
шепта́ть (шепчу́, ше́пчешь), *imperf.* to whisper
шерсть, *f.* wool
шкап, *m.* cupboard
шоссе́, *n.* highway
шту́ка, *f.* thing; trick
шум, *m.* noise
шуме́ть (шумлю́, шуми́шь), *imperf.* to make a noise
шути́ть (шучу́, шу́тишь), *imperf.* to joke
шу́тка, *f.* joke

щегольско́й, *a.* fashionable, foppish
щёлкать, *imperf.* to click

эпиде́мия, *f.* epidemic
э́так, *adv.* like this

ядови́тый, *a.* poisonous
я́ма, *f.* pit
ярлы́к (*gen.* ярлыка́), *m.* label

1 2 3 4 5 6 7 8 9 0